Édipo

J.-D. Nasio

Édipo
*O complexo do qual
nenhuma criança escapa*

tradução
André Telles

14ª reimpressão

Copyright © 2005 by Éditions Payot & Rivages

Tradução autorizada da primeira edição francesa, publicada em 2005 por Payot & Rivages, de Paris, França

Título original
L'Oedipe: Le concept le plus crucial de la psychanalyse

Capa
Sérgio Campante

Projeto gráfico
Victoria Rabello

cip-Brasil. Catalogação-na-fonte
Sindicato Nacional dos Editores de Livros, rj

N211e	Nasio, Juan-David Édipo: o complexo do qual nenhuma criança escapa / J.-D. Nasio; tradução, André Telles – 1ª ed. – Rio de Janeiro: Zahar, 2007.

Tradução de: L'Oedipe: Le concept le plus crucial de la psychanalyse.
Inclui bibliografia
isbn 978-85-7110-972-8

1. Édipo, Complexo de. 2. Psicanálise. i. Título.

06-4626

cdd: 154.24
cdu: 159.964.21

Todos os direitos desta edição reservados à
EDITORA SCHWARCZ S.A.
Praça Floriano, 19, sala 3001 — Cinelândia
20031-050 — Rio de Janeiro — rj
Telefone: (21) 3993-7510
www.companhiadasletras.com.br
www.blogdacompanhia.com.br
facebook.com/editorazahar
instagram.com/editorazahar
twitter.com/editorazahar

Sumário

Abertura 7

1. O Édipo do menino 19
2. O Édipo da menina 45
3. Perguntas e respostas sobre o Édipo 65
4. O Édipo é a causa das neuroses ordinárias e mórbidas do homem e da mulher 91
5. Arquipélago do Édipo 107
6. Excertos das obras de Freud e Lacan sobre o Édipo, precedidos de nossos comentários... 129

Seleta bibliográfica sobre o Édipo 147
Índice geral 155

Nenhuma criança escapa ao Édipo!

O Édipo de que vou falar é uma lenda que explica a origem de nossa identidade sexual de homem e mulher e, além disso, a origem de nossos sofrimentos neuróticos. *Essa lenda envolve todas as crianças, vivam em uma família clássica, monoparental, recomposta ou, ainda, cresçam no seio de um casal homossexual, ou até mesmo sejam crianças abandonadas, órfãs e adotadas pela sociedade. Nenhuma criança escapa ao Édipo! Por quê? Porque nenhuma criança de quatro anos, menina ou menino, escapa à torrente das pulsões eróticas que lhe afluem e porque nenhum adulto de seu círculo imediato pode evitar ser o alvo de suas pulsões ou tentar bloqueá-las.*

Abertura

As relações do filho com sua mãe são para ele uma fonte contínua de excitação e satisfação sexual, a qual se intensifica quanto mais ela lhe der provas de sentimentos que derivem de sua própria vida sexual, beijá-lo, niná-lo, considerá-lo substituto de um objeto sexual completo. Seria provável que uma mãe ficasse bastante surpresa se lhe dissessem que assim ela desperta, com suas ternuras, a pulsão sexual do filho. Ela acha que seus gestos demonstram um amor assexual e puro, em que a sexualidade não desempenha papel algum, uma vez que ela evita excitar os órgãos sexuais do filho mais que o exigido pelos cuidados corporais. Mas a pulsão sexual, como sabemos, não é despertada apenas pela excitação da zona genital; a ternura também pode ser muito excitante.

SIGMUND FREUD

"O menino está apaixonado pela mãe e quer afastar o pai; a menina, por sua vez, apaixonada pelo pai, quer afastar a mãe." Eis em algumas palavras o mais batido clichê da psicanálise, uma ilustração tradicional, ingênua e enfática do célebre drama amoroso: o complexo de Édipo. E, no entanto, nada mais enganador que essa visão estática do complexo freudiano. Por quê? Porque o complexo de Édipo não é uma história de amor e ódio entre pais e filhos, é uma história de sexo, isto é, uma história de corpos que sentem prazer em se acariciar, se beijar e se morder, em se exibir e se olhar, em suma, corpos que sentem tanto prazer em se tocar quanto em se fazer mal. Não, Édipo nada tem a ver com sentimento e ternura, mas com corpo, desejo, fantasias e prazer. Provavelmente, pais e filhos amam-se ternamente e podem se odiar, mas, no coração do amor e do ódio familiar, medra o desejo sexual.

O Édipo é um imenso despropósito: é um desejo sexual próprio de um adulto, vivido na cabecinha e no corpinho de uma criança de quatro anos e cujo objeto são os pais. A criança edipiana é uma criança alegre que, em toda inocência, sexualiza os pais, introduzindo-os em suas fantasias como objetos de desejo e imitando sem pudor nem senso moral seus gestos sexuais de adultos. É a primeira vez na vida que a criança conhece um movimento erótico de todo seu corpo em direção ao corpo do outro. Não se trata mais de uma boca tendendo para um seio, mas de um ser integral que quer apertar o corpo inteiro da mãe. Ora, se é verdade que a criança edipiana fica feliz ao desejar e obter prazer com isso, é mais verdade ainda que desejo e prazer a assustam, pois ela os teme como um perigo. Que perigo? O perigo de ver seu corpo desgovernar-se sob o ardor de seus impulsos; o perigo de ver sua cabeça explodir em virtude de não conseguir controlar mentalmente seu desejo; e, finalmente, o perigo de ser punida pela Lei do interdito do incesto, por ter tomado os pais como parceiros sexuais. Excitada pelo desejo, feliz com suas fantasias mas igualmente angustiada, a criança sente-se perdida e completamente desamparada. A crise edipiana é um insuportável conflito entre o prazer erótico e o medo, entre a exaltação de desejar e o medo de se consumir nas chamas do desejo. Assim, a criança reage sem transigir. Dividida entre a alegria e a angústia, não tem outra saída senão esquecer tudo e apagar tudo. Sim, a criança edipiana, seja menino ou menina, recalca vigorosamente fantasias e angústia, pára de tomar seus parentes por parceiros sexuais e torna-se com isso disponível para conquistar novos e legítimos objetos de desejo. É assim que, progressivamente, descobre o pudor, desenvolve o sentimento de culpa, o senso moral e estabelece sua identidade sexual de homem ou de mulher. Observemos que depois de um período de relativa acalmia pulsional – digo efetivamente relativa –, um segundo abalo edipiano irá produzir-se na puberdade. Assim como já fizera aos quatro anos, o jovem adolescente deverá ajustar o ardor de seus impulsos ao seu novo corpo em plena metamorfose da puberdade e às novas solicitações sociais. Mas tal ajuste nunca é fácil para um jovem e eis por que encontramos tantas dificuldades com o adolescente em crise. O jovem não sabe mais refrear seus impulsos como o fizera no fim de seu Édipo; ao contrário, atiça seu desejo tornando-se inibido e tímido. Entretanto, o vulcão edipiano não se extingue na adolescência. Muito mais tarde, na idade adulta, por ocasião de um conflito afetivo, novas erupções poderão se dar sob a forma de sofrimentos neuróticos como a fobia, a histeria e a obsessão. Enfim, não esqueçamos que outra reativação do Édipo pode se desenvolver, experimentalmente dessa vez, na cena analítica central da neurose de transferência. Em outras palavras: a transferência entre paciente e psicanalista é a repetição em ato do complexo de Édipo.

Que é, então, o Édipo? O Édipo é a experiência vivida por uma criança de cerca de quatro anos que, absorvida por um desejo sexual incontrolável, tem de aprender a limitar seu impulso e ajustá-lo aos limites de seu corpo imaturo, aos limites de sua consciência nascente, aos limites de seu medo e, finalmente, aos limites de uma Lei tácita que lhe ordena que pare de tomar seus pais por objetos sexuais. Eis então o essencial da crise edipiana: aprender a canalizar um desejo transbordante. No Édipo, é a primeira vez na vida que dizemos ao nosso insolente desejo: "Calma! Fique mais tranqüilo! Aprenda a viver em sociedade!" Assim, concluímos que o Édipo é a dolorosa e iniciática passagem de um desejo selvagem para um desejo socializado, e a aceitação igualmente dolorosa de que nossos desejos jamais serão capazes de se satisfazer totalmente.

Porém, o Édipo não é apenas uma crise sexual de crescimento, é também a fantasia que essa crise molda no inconsciente infantil. Com efeito, a experiência vivida do terremoto edipiano fica registrada no inconsciente da criança e perdura até o fim da vida como uma fantasia que definirá a identidade sexual do sujeito, determinará diversos traços de sua personalidade e fixará sua aptidão a gerir os conflitos afetivos. No caso de a criança ter experimentado, por ocasião da crise edipiana, um prazer precoce demais, intenso demais e inesperado demais, isto é, no caso de a experiência de um prazer excessivo ser traumática, a fantasia daí resultante seria a causa certa de uma futura neurose.

O Édipo, no entanto, é mais que uma crise sexual e uma fantasia que ela modela no inconsciente; é também um conceito, o mais crucial dos conceitos psicanalíticos. Diria que é a própria psicanálise, uma vez que o conjunto dos sentimentos que a criança experimenta durante essa experiência sexual que chamamos de complexo de Édipo é, para nós psicanalistas, o modelo que utilizamos para pensar o adulto que somos. Assim como a criança edipiana, percebemos a escalada do desejo pelo outro, forjamos fantasias, sentimos prazer com nosso corpo ou o corpo do outro, temos medo de ser superados por nossos impulsos e aprendemos, finalmente, a refrear nosso desejo e nosso prazer para viver em sociedade. Que é a psicanálise senão uma prática sustentada por uma teoria que concebe o homem de hoje a partir da experiência edipiana vivida por todas as crianças quando têm de aprender a refrear seu desejo e moderar seu prazer?

Enfim, o Édipo é também um mito, já que essa crise real e concreta vivida por uma criança de quatro anos, é uma explosiva alegoria da luta entre as forças impetuosas do desejo sexual e as forças da civilização que se lhe opõem. O melhor desfecho para essa luta é um compromisso chamado *pudor* e *intimidade*.

Qual é o status do Édipo? Uma realidade, uma fantasia, um conceito ou um mito?

Qual é então o verdadeiro status do Édipo? Consistiria ele em uma crise sexual de crescimento observável no comportamento das crianças? Uma fantasia inscrita no inconsciente? Ou a mais importante construção teórica, chave-mestra do edifício analítico? Ou ainda simplesmente um mito, o mito moderno que nos revela que o interdito universal do incesto é uma resposta ao louco desejo humano de incesto? Logo, seria o Édipo uma realidade, uma fantasia, um conceito ou simplesmente um mito? Pois bem, responderei que o Édipo é tudo isso ao mesmo tempo: realidade, fantasia, conceito e mito. Contudo, para o psicanalista que somos, o Édipo permanece antes de tudo uma fantasia, devo dizer até uma dupla fantasia. É a fantasia infantil agindo no inconsciente do paciente, duplicada pela mesma fantasia, reconstruída, dessa vez, pelo profissional. Assim, só consigo compreender o sofrimento que escuto em meus pacientes adultos ao supor-lhes desejos, ficções e angústias vividas na idade edipiana. E penso que esses desejos, ficções e angústias infantis ainda estão presentes nos dias de hoje, travestidos nos múltiplos tormentos da neurose de que o paciente se queixa. Quando, por exemplo, escuto Sarah, uma anoréxica grave de 26 anos, vejo mentalmente a criancinha que ela era e a imagino dividida entre o desejo de ser um menino com um corpo reto como o de seu irmão, filho predileto do pai, e o desejo de ser a mulher amada pelo pai. Ora, é ao me dirigir a essa menina de quatro anos presente em Sarah que posso ter uma chance de influenciar o curso de sua anorexia. Quando, durante uma sessão, sugiro uma interpretação, é Sarah minha paciente que a escuta, mas é a pequena Sarah que a recebe. Qual pequena Sarah? A menininha edipiana que eu fantasio em minha escuta que suponho atuante no inconsciente da Sarah adulta. Mas o que prova que essa fantasia, forjada na escuta com ajuda do material clínico e da teoria do Édipo, seja de fato a que atua no inconsciente de minha paciente? Quem me garante que essa fantasia, em que a pequena Sarah fica dividida entre o desejo de ser menino e o de ser mulher, não é uma construção errada? Em outros termos, qual a validade dessa fantasia e do conceito de Édipo que lhe subjaz? Pois bem, esse conceito e essa fantasia são válidos fundamentalmente por duas razões. Em primeiro lugar, porque sempre que escuto um paciente com o a priori teórico do Édipo e da fantasia daí resultante minhas intervenções verificam-se pertinentes, isto é, são validadas a posteriori pelo próprio paciente. Em segundo lugar, porque tenho a confirmação, pela minha experiência, de que a escuta, enriquecida pelo conceito de Édipo, é uma escuta extremamente flexível, maleável, capaz de harmonizar ao mesmo tempo o sofrimento atual do paciente, a fantasia da criança que ele foi e o rigor de uma teoria analítica que não cesso de modelar e aperfeiçoar.

★
★ ★

Se agora eu tivesse de esquematizar a crise edipiana em duas grandes etapas, diria que o Édipo começa com a *sexualização* dos pais e termina com a *dessexualização* dos pais, dessexualização que desembocará finalmente na identidade sexual adulta.

Portanto, vou expor em detalhes, passo a passo, a lógica da crise edipiana no menino e na menina, como uma lenda metapsicológica e romanceada que forjei à luz da teoria psicanalítica e de minha experiência clínica. Preciso antes, porém, indicar os principais elementos que intervêm nessa crise: os *desejos incestuosos*, as *fantasias* e a *identificação*. Dos desejos incestuosos falaremos imediatamente; em seguida, examinaremos as três fantasias mais importantes do Édipo: fantasias de onipotência *fálica*: a criança julga-se onipotente; fantasias de *prazer* que satisfazem imaginariamente o desejo incestuoso: a criança é alegre; fantasias de *angústia* no caso do menino: ele é medroso – e de *sofrimento* no caso da menina: ela fica magoada; e, finalmente, a última malha da lógica edipiana, o espantoso fenômeno de identificação. Desejos, fantasias e identificação são portanto os três operadores que pontuam respectivamente o nascimento, o apogeu e o declínio do complexo de Édipo. (FIGURA 1).

★
★ ★

Que é, então, o Édipo?
O Édipo:

1. É uma **chama de sexualidade** vivida por uma criança de quatro anos no cerne da relação com seus pais.
2. É uma **fantasia sexual** forjada inocentemente pelo menino ou pela menina para aplacar o ardor de seu desejo.
3. É também a matriz de nossa **identidade sexual** de homem e de mulher, pois é durante a crise edipiana que a criança sente pela primeira vez um desejo masculino ou feminino em relação ao genitor do sexo oposto.
4. É ainda uma **neurose infantil**, modelo de todas as nossas neuroses adultas.

5. É uma **fábula simbólica** que põe em cena uma criança encarnando a força do desejo, e seus pais encarnando tanto o objeto desse desejo quanto o interdito que o refreia.
6. É a chave-mestra da psicanálise. É o **conceito soberano** que gera e organiza todos os outros conceitos psicanalíticos e justifica a prática da psicanálise.
7. É, enfim, o drama infantil e o inconsciente que todo analisando **representa na cena do tratamento** ao tomar seu psicanalista como parceiro.

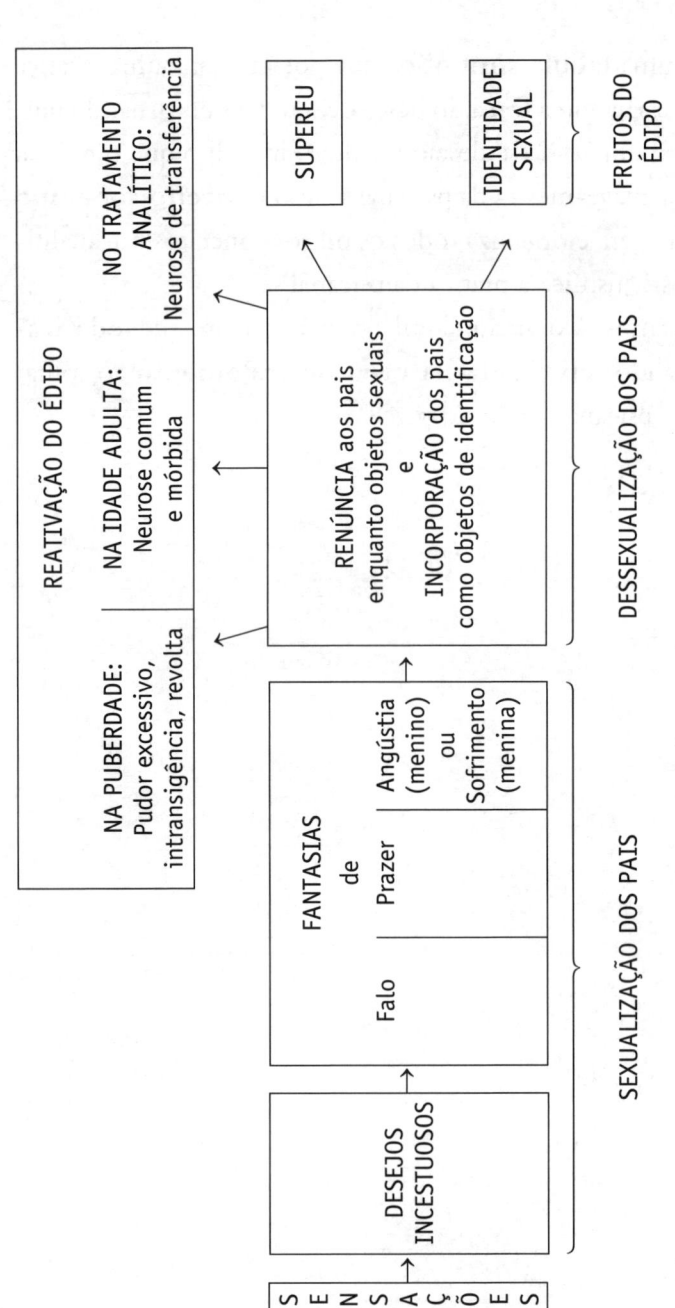

FIGURA 1
Visão geral do Édipo

1. *O Édipo do menino*

- No começo era o corpo de sensações erógenas
- Os três desejos incestuosos
- As três fantasias de prazer
- As três fantasias de angústia de castração
- Resolução do Édipo do menino: a dessexualização dos pais
- Comparado à mulher, o homem é visceralmente um covarde
- Os frutos do Édipo: o superego e a identidade sexual
- Resumo da lógica do Édipo do menino

No começo era o corpo de sensações erógenas*

Por volta de três, quatro anos, todos os meninos focalizam seu prazer sobre o pênis, vivido ao mesmo tempo como órgão, objeto imaginário e emblema simbólico. Nessa idade, o órgão peniano torna-se a parte do corpo mais rica em sensações e impõe-se como a zona erógena dominante, uma vez que o prazer por ele proporcionado à criança torna-se a referência principal de todos os outros prazeres corporais. Antes dessa idade, os locais de prazer eram a boca e, depois, o ânus e a atividade muscular – não esqueçamos que o prazer de andar, correr e agir prevalece em todos os bebês entre dois e três anos –, ao passo que, com quatro, todo prazer corporal, seja qual for o lugar excitado, repercute no nível de seu pequeno pênis sob a forma de um arrepio de prazer. Em outras palavras, se um menino de quatro anos sente prazer em olhar o decote da mãe ou gosta de se mostrar nu em público, ou ainda, excitado pela brincadeira, morde a coxa da irmãzinha,

---

*A FIGURA 2 (ver p.43) acompanha a leitura deste Capítulo 1.

diremos que todos esse prazeres sentidos pela excitação dos olhos, dos dentes ou do corpo inteiro são prazeres que repercutem no nível de seu pequeno sexo e já lhe fazem viver uma excitação genital.

Porém, aos quatro anos, o pênis não é apenas o órgão mais rico em sensações. É também o objeto mais amado e o que reclama todas as atenções. Apêndice visível, facilmente manipulável, erógeno e eréctil, o pênis atrai a mão, assim como a teta atrai os lábios e a língua; o pênis convoca os olhares, atiça a curiosidade dos meninos e das meninas e lhes inspira fábulas, ficções e bizarras teorias infantis. A pregnância imaginária do pênis é tamanha que o menino faz dele seu objeto narcísico mais precioso, a coisa pela qual tem mais apego e orgulho de possuir. Assim, tal culto do pênis eleva o pequeno órgão ao nível de símbolo do poder absoluto e da força viril. Mas atenção! É também, e pelas mesmas razões, vivido como um órgão frágil, excessivamente exposto aos perigos e, por conseguinte, símbolo não apenas do poder, mas também da vulnerabilidade e da fraqueza. Pois bem, quando esse apêndice, eminentemente excitável, nitidamente visível, eréctil, manipulável e tão altamente valorizado torna-se aos olhos de todos – meninos e meninas – o representante do desejo, nós o chamamos de "Falo". O Falo não é o pênis enquanto órgão. O Falo é um pênis fantasiado, idealizado, símbolo da onipotência e de seu avesso, a vulnerabilidade. Veremos adiante, quando abordarmos em detalhe o Édipo feminino, que a supremacia imaginária e simbólica do pênis é tão forte nessa idade que a menininha também acreditará que possui um Falo. É precisamente esse pênis fantasiado, dito Falo, que dá nome à fase do desenvolvimento libidinal durante a qual acontece a crise edipiana. Com efeito, Freud chama essa fase em que a sexualidade infantil permanece polarizada no Falo de "fase fálica" (cf. p.77-9).

Durante essa fase, as crianças, meninos ou meninas, acham que todas as criaturas do mundo são dotadas de um Falo, isto é, que todas as criaturas são tão fortes quanto elas. Quando, por exemplo, um menino considera que todos têm um Falo, ele pensa: "Todos detêm um órgão peniano como o meu. Todos experimentam as mesmas sensações que eu e todos devem se sentir tão fortes quanto eu." Observo que essa ficção infantil, essa ilusão de acreditar que o pênis é um atributo universal, é forjada tanto pelo menino quanto pela menina. Ora, eis que a idolatria da criança pelo Falo vai ser acompanhada pela angústia de perdê-lo no menino e pelo sofrimento de havê-lo perdido na menina. Com efeito, nessa idade a criança já fez a experiência de perder os objetos vitais: bebê, perdeu o seio materno que considerava uma parte de si próprio; em seguida fez a experiência de renunciar à mamadeira e se separar de seu primeiro "paninho"; mais tarde, a experiência de defecar e constatar que seu "cocô" separa-se dele; fez também a experiência de perder o status de filho-rei com o nascimento de um irmãozinho ou irmãzinha; e, finalmente, talvez já tenha chorado a morte de um parente. Resumindo, na idade edipiana uma criança é perfeitamente capaz de se representar a perda de um objeto que lhe era caro e temer que ela se repita. Entretanto, para ser mais preciso, eu deveria acrescentar que, desde sua vinda ao mundo, ou melhor, desde as primeiras palpitações de seu corpo embrionário, o pequeno humano já é plenamente capaz de sentir a falta de um objeto vital, e eu diria até a falta pura e simplesmente. Sabemos o quanto um bebê, por menor que seja, sente, sabe e chora de dor quando lhe falta algo essencial. Eis por que eu diria que a aptidão da criança edipiana para perceber a falta é no fundo uma intuição inerente a toda a espécie humana.

Mas retomemos o fio. Peço-lhes agora que guardem a observação referente à ficção de um Falo universal e a referente à capacidade da jovem criança de se representar intuitivamente uma falta, pois essas duas proposições são as premissas indispensáveis para compreendermos como se formam a fantasia de angústia de castração no menino e a fantasia de dor de privação na menina, isto é, para compreendermos como o menino sai do Édipo e como a menina entra nele. Logo voltaremos a isso.

Os três desejos incestuosos

Abordemos agora a dinâmica dos desejos incestuosos. Excitado sexualmente e orgulhoso de seu poder, o menino de quatro anos vê eclodir em si uma nova força, um impulso desconhecido: o desejo de ir em direção ao Outro, em direção a seus pais ou, mais exatamente, em direção ao corpo de seus pais para nele encontrar prazer, para nele descobrir o conjunto dos diferentes prazeres erógenos conhecidos antes dessa idade. Eis a novidade do Édipo! Até esse estágio, a criança não conhecia tal floração dos sentidos e nunca tinha sentido desejo tão impetuoso de se apossar do corpo inteiro do Outro e nele encontrar prazer. Que prazer é esse? O desejo é o impulso que nos leva a procurar prazer no enlace com nosso parceiro. Deseja-se sempre uma pessoa em sua carne. Desejar é atirar-se para fora de si em busca da carne do outro; é querer atingir, através da carne, sobre a carne, o gozo mais requintado. Eis o que é o desejo! É nesse aspecto que todo desejo é um desejo sexual. *Sexual* quer dizer mais que *genital*. Sexual quer dizer: "Deixa-me olhar teu corpo nu! Acariciá-lo, senti-lo, beijá-lo, devorá-lo e, até mesmo, destruí-lo!" Que corpos? Os corpos daqueles a quem amo me atraem e estão ao alcance da minha mão. E que são eles para uma criança senão seu pai e sua mãe? Como um bichinho travesso, a criança edipiana põe as garras do desejo nas costas de seus pais. Em suma, a criança edipiana é arrastada por um impulso que a leva e pressiona a procurar prazer na troca sensual com os corpos daqueles a quem ama, de quem depende e que também são criaturas desejantes, criaturas que despertam e exercitam seu desejo. Ora, esse desejo imperioso, esse impulso irresistível cuja fonte são as excitações penianas, cujo alvo é o prazer e cujo objeto é o corpo de um dos genitores ou de qualquer outro adulto tutelar, esse impulso é uma expressão do mítico desejo de incesto. Sim, o Édipo é a tentativa infantil de realizar um desejo incestuoso irrealizável. Mas que é o **desejo incestuoso**? É um **desejo virtual, nunca saciado, cujo objeto é um dos pais e cujo objetivo seria alcançar não o prazer físico, mas o gozo**. Que gozo? O gozo prodigioso que proporcionaria uma relação sexual plena em que os dois parceiros, criança e adulto genitor, diluiriam em uma total e extática fusão. Naturalmente, esse desejo é um sonho irrealizável, uma maravilhosa história em quadrinhos, o mito grego ou a mais louca e imemorial das fábulas. Esclareço imediatamente que as verdadeiras passagens ao ato incestuosas pai/filha ou pai/filho e mais raramente mãe/filho são estupros relativamente raros e, quando acontecem, nunca proporcionam gozo algum, nem prodigioso nem banal. Nada disso! Ao contrário, a clínica dos casos de incesto revela a extrema pobreza da satisfação obtida pelo adulto perverso e o forte trauma sofrido pela criança. Não. O desejo incestuoso de que lhes falo nada tem a ver com a desgraça do abuso sexual cometido por um pai sobre seu filho. Mas então, vocês me diriam, por que a psicanálise precisa sacralizar o desejo incestuoso e postular que todos os desejos, por ínfimos que sejam, referem-se a um desejo igualmente virtual? Por que o desejo incestuoso é o desejo padrão? Pois bem, o único valor desse desejo insensato de ir para a cama com a mãe e matar o pai é ser a alegoria do louco desejo de retorno ao estado original de beatitude intrauterina. Para a psicanálise, cada um de nossos desejos cotidianos – o prazer sensual de contemplar um quadro ou acariciar o corpo do amado, por exemplo –, cada um desses desejos tenderia, de um ponto de vista teórico, insisto, para a felicidade perfeita de que gozariam dois seres conjugados em Um. O desejo incestuoso, portanto, não é senão uma figura mítica do absoluto, o nome assumido pelo desejo louco de um herói de penetrar sua mãe para encontrar seu ponto de origem nos confins do corpo materno. Para dizê-lo com uma imagem, o desejo incestuoso é o desejo de fusão com nossa terra nutriz.

Uma vez admitido o caráter mítico do desejo incestuoso, distingo três variantes dele no menino. Ressalvemos que os desejos incestuosos não são exclusivamente eróticos, mas antes um condensado de tendências eróticas e agressivas. Assim, há três desejos fundamentais presentes em um menino e em todo ser humano em posição masculina, seja qual for sua idade: o *desejo de possuir* sexualmente o corpo do Outro, em particular o da mãe; o *desejo de ser possuído* pelo corpo do Outro, em particular o do pai; e o *desejo de suprimir* o corpo do Outro, em particular o do pai. Desejo de *possuir*, desejo de *ser possuído* e desejo de *suprimir*, eis os três movimentos fundadores do desejo masculino.

As três fantasias de prazer

Ora, sem atingir esses três objetivos incestuosos e impossíveis — obter o gozo absoluto de possuir o corpo do Outro; ser possuído pelo Outro, isto é, ser sua coisa e fazê-lo gozar; e, finalmente, obter o gozo absoluto de suprimir o Outro —, o menino cria fantasias que lhe dão prazer ou angústia, mas que, de toda forma, satisfazem imaginariamente seus loucos desejos.

Mas em que consiste uma fantasia? Em uma cena, em geral consciente, destinada a satisfazer de maneira imaginária o desejo incestuoso irrealizável, ou melhor, a satisfazer qualquer desejo, uma vez que todo desejo é uma expressão do desejo incestuoso. Uma fantasia é uma cena imaginária que propicia consolo à criança, tome esse consolo a forma de um prazer ou, como veremos, de uma angústia. Assim, a fantasia tem como função substituir uma ação ideal que teria proporcionado um gozo não-humano por uma ação fantasiada que baixa a tensão do desejo e suscita prazer, angústia ou ainda outros sentimentos, às vezes penosos. Com efeito, a queda da tensão psíquica obtida com a fantasia nem sempre se traduz por distúrbios ou tormentos que, por penosos que sejam, permitem evitar uma fissura irreparável do psiquismo. Por mais espantoso que pareça, a queda da tensão psíquica também pode se traduzir por um sofrimento consciente. Uma crise de choro, por exemplo, pode exercer a função de uma descarga salutar; ou um sintoma fóbico impor-se como um mal menor que protege de outro mal muito mais grave, como uma psicose.

Observemos também que a cena fantasiada não é obrigatoriamente consciente e que ela com freqüência se traduz na vida cotidiana da criança por um sentimento, um comportamento ou uma fala. Um menininho, por exemplo, nunca copulará com a mãe, mas compensará essa impossibilidade com uma fantasia voyeurista em que a imagina nua. Essa fantasia se traduzirá então pela vontade maliciosa de espiar e surpreender a mãe em situações íntimas. Vocês têm aqui a gradação de que falamos: o desejo incestuoso de possuir a mãe, o desejo derivado de ver o corpo nu da mãe, a fantasia de imaginá-lo e, enfim, o gesto malicioso de olhar pelo buraco da fechadura, gesto que põe em ato a fantasia.

Eu gostaria, porém, de interromper um instante a fim de dissipar qualquer confusão entre os termos "sensações", "desejos", "fantasias" e "comportamentos". Sejamos claros. Comecemos pelo começo. Em primeiro lugar, as sensações sentidas despertam o desejo de ir em direção ao corpo do adulto. Em seguida, esse desejo é satisfeito com fantasias que proporcionam prazer à criança. Repito que essas fantasias de prazer raramente são visualizadas mentalmente pelo sujeito. Somos nós, psicanalistas, que as deduzimos a partir da observação dos comportamentos infantis e, sobretudo, a partir da escuta de nossos analisandos adultos. Nós escutamos um paciente, criança ou adulto, e reconstruímos as cenas fantasiadas que governam suas vidas. Ora, subindo um degrau na abstração, diremos que essas cenas são forjadas inconscientemente pelo sujeito para satisfazer imaginariamente seu desejo – desejo voyeurista no nosso exemplo – e, além disso, para satisfazer seu mítico desejo de incesto. Vamos resumir. Fico sabendo que um garotinho espia sua mãe e deduzo disso que está inconscientemente animado por uma cena voyeurista em que sua mãe estaria nua. Considero também que essa cena satisfaz o desejo incestuoso de possuir sua mãe e, mais concretamente, o desejo de devorá-la com os olhos. *Em suma, as sensações despertam o desejo, o desejo suscita a fantasia e a fantasia se atualiza através de um sentimento, um comportamento ou uma fala.* Por exemplo, ao nos vermos diante de uma emoção, dizemos que ela exprime uma fantasia e que a fantasia satisfaz um desejo, sempre vivificado pelo corpo de sensações.

Estabelecidas essas premissas, vejamos agora como cada um dos três desejos incestuosos se satisfaz imaginariamente graças a uma fantasia de prazer particular. A cada desejo incestuoso corresponde uma fantasia de prazer específica. Qual é então a fantasia específica do desejo incestuoso de *possuir o Outro*? Na verdade, essa fantasia adota vários roteiros em que a criança desempenha sempre um papel ativo e se sente orgulhosa de impor sua presença ao Outro. A *fantasia de possessão* manifesta-se por meio dos comportamentos típicos dessa idade, como por exemplo exibir-se de maneira escandalosa, brincar "de papai e mamãe", brincar "de médico", bancar o palhaço, dizer palavrões sem conhecer sua significação ou mesmo macaquear posições sexuais. Às vezes o gesto que predomina é o de tocar o corpo de um de seus pais, irmãos ou irmãs ou beijá-lo febrilmente e às vezes mordê-lo ou maltratá-lo. Mas de todos os roteiros de possessão o que exprime mais fielmente o desejo incestuoso de possuir o Outro é o desejo do menino de se apoderar da mãe e tê-la apenas para si.

Gostaria de dar um exemplo. Penso aqui em um menininho de três anos, Martin. É um garoto vivo, malicioso que só, que sua mãe, uma de minhas analisandas, levara um dia ao meu consultório, não tendo conseguido ninguém para ficar com ele. Enquanto a criança brincava na sala de espera contígua ao meu consultório, a mãe me contou em tom de aparte um episódio sobre o filho, que considero uma bela ilustração de uma fantasia de prazer edipiana de possuir a mãe. Saibam que a mãe de Martin é uma moça divorciada, muito bonita e simpática, que mora sozinha com o filho. Ela então me conta: "Adivinhe, doutor, o que me aconteceu com esse traquinas do Martin. Eu estava no banheiro, em trajes sumários, me maquiando – deixo sempre a porta entreaberta – e, de repente, dei um grito: Martin entrara silenciosamente, na ponta dos pés, e me mordera as nádegas antes de fugir correndo, todo orgulhoso e feliz com o que tinha feito." Peço-lhes que imaginem esse menininho insinuando-se sorrateiramente no banheiro e descobrindo, na altura dos olhos, as nádegas atraentes da mãe. Seu olho se acende, ele se aproxima e, subitamente, morde com vontade. É isto o Édipo! O Édipo é morder as nádegas da mãe! O Édipo não é acariciar ternamente a mamãe, é desejá-la e mordê-la. Isso parece evidente agora que lhes digo, mas essa evidência da natureza sexual do Édipo (o Édipo é uma questão de sexo e não de amor) nem sempre é admitida. O Édipo é o desejo sexual de um menininho que não tem nem cabeça nem corpo para assumi-lo. Depois dessa primeira fantasia edipiana de possuir a mãe, chegamos à segunda fantasia de prazer, a de *ser possuído pelo Outro*. A fantasia mais típica do desejo de ser possuído é uma cena em que o menino sente prazer em seduzir um adulto para se tornar seu objeto. Essa fantasia é uma fantasia de sedução sexual em que o menino sedutor imagina-se seduzido pela mãe, por um irmão mais velho ou até mesmo, ainda que isso os surpreenda, pelo próprio pai. Com efeito, um menino pode desempenhar o papel passivo, eminentemente feminino, de ser a coisa do pai e fazê-lo gozar. Mas devemos entender que, se a criança imagina-se seduzida, não apenas ela é vítima passiva de um pai perverso, malvado ou tarado, como também uma sedutora ativa que espera ser seduzida; a criança seduz para ser seduzida. Observemos que, se essa fantasia edipiana de sedução do menino pelo pai imobiliza-se e invade mais tarde a vida do adulto que a criança se tornou, ela medra como um agente nocivo, causa freqüente de uma forma de histeria masculina muito difícil de tratar. Freqüentemente, o tratamento analítico dessa histeria fracassa e esbarra em uma crise conhecida como "pedra de castração" ou, como a chamava Adler, "protesto viril". Uma vez que nos referimos à clínica, assinalo que a escolha de lhes apresentar o Édipo corresponde acima de tudo ao meu desejo de esclarecer a prática de vocês com seus pacientes adultos. Pois, como vocês perceberam, o interesse do Édipo não é apenas teórico, é principalmente clínico, e a fantasia de sedução é uma ilustração patente disso. Sempre que recebo homens neuróticos que me demandam uma análise, penso em sua fantasia inconsciente de serem a coisa do pai e fazê-lo gozar.

A última fantasia de prazer, a relativa ao desejo de *suprimir o Outro*, em particular o pai, coloca o sujeito em uma atitude sexual ativa. Digo "sexual" porque destruir o Outro provoca tanto prazer sexual quanto qualquer fantasia edipiana. Um dos comportamentos infantis que melhor traduz a fantasia de matar o pai rival é aquele, muito freqüente, em que o menininho aproveita-se da ausência do pai, em viagem, para brincar de "chefe de família" e, por exemplo, querer partilhar o grande leito conjugal com a mãe.

As três fantasias de angústia de castração

As fantasias de ***prazer*** – seja aquela em que o menino adota uma atitude sexual ativa como morder a mãe; seja aquela em que adota uma atitude sexual passiva como seduzir para ser seduzido; seja, enfim, aquela em que adota uma atitude sexual ativa de rejeição do pai –, todas essas fantasias são fantasias de prazer que, embora façam a criança feliz, também desencadeiam nela uma profunda ***angústia***: o menininho malicioso teme ser punido por seu pecado, punido com a mutilação de seu órgão viril, símbolo de sua potência, de seu orgulho e de seu prazer. Essa fantasia, em que seria punido com a mutilação de seu Falo, chama-se fantasia de "angústia de castração". Vamos entender. A ameaça de ser punido com a castração e a angústia daí resultante são uma ameaça e uma angústia *fantasiadas*. Decerto, um menino pode cometer um erro e ter medo do castigo, mas a fantasia de ser punido com a castração e a angústia daí resultante são inconscientes. Falemos claramente: a angústia de castração não é sentida pelo menino, ela é inconsciente. Este é um ponto importante, pois muitos de vocês gostariam de verificar se um menininho de quatro anos receia efetivamente que lhe mutilem o pênis. Pois bem, respondo-lhes prontamente: salvo exceção, vocês não terão confirmação desse receio. Claro, acontece muitas vezes de determinada mãe, ao ver o filho apalpar o sexo, gritar com ele: "Pare de se bolinar! Seu passarinho não vai voar e ninguém vai comê-lo!" Mas é uma réplica que não suscita no menininho nenhuma angústia de ser castrado. Não. A angústia de castração nunca é consciente. Isso posto, como considerar então as angústias que observamos diariamente nos meninos sob a forma de medos ou pesadelos? Eu diria que essas angústias infantis são as formas clínicas assumidas pela angústia inconsciente de castração. Em suma, não interessa se o menino sofre ou não uma ameaça real e se angustia, o que interessa saber é que, de toda forma, ele é habitado pela angústia inconsciente de castração; enquanto desejar e obtiver prazer, ainda que mínimo, ficará angustiado. A angústia é o avesso do prazer. Angústia e prazer são tão indissociáveis que os imagino como gêmeos paridos pelo desejo. Gostaria de ser bem claro nesse ponto. Da mesma forma que a psicanálise postula a premissa do desejo incestuoso, ela afirma que todos os homens são essencialmente habitados por uma angústia de castração intrínseca ao desejo masculino. Voltaremos a isso quando falarmos da neurose masculina, mas desde já afirmo que a angústia de castração é a medula espinhal do psiquismo do homem. Quanto ao psiquismo da mulher, veremos mais tarde de que estofo emocional é feito.

Dizíamos então que a angústia masculina é o avesso do prazer de fantasiar. Com efeito, não existe prazer edipiano sem a contraparte: a angústia de desejar e de ser punido por isso. Esse par de sentimentos antagônicos, prazer e medo de ser punido, está na base de toda neurose. Podemos desde já dizer que o próprio Édipo é uma neurose infantil, ou melhor, a primeira neurose de crescimento do ser humano. Por quê? Porque a neurose é acima de tudo a ação simultânea de sentimentos opostos e porque a criança edipiana sofre, como um neurótico, com o doloroso conflito entre saborear o prazer de fantasiar e ter medo de ser punido caso persevere. Voltarei muitas vezes a essa idéia cardinal segundo a qual o Édipo é, em si, uma neurose.

Embora já tenhamos afirmado o status inconsciente da angústia de castração sem apresentar situações concretas para justificá-lo, nem por isso certos incidentes da vida da criança deixam de confirmar, se necessário, a existência dessa angústia. Eis o acontecimento incontornável a que se referem todos os teóricos do Édipo. Um dia, o menino vê o corpo nu de uma menininha ou de sua própria mãe e constata, surpreso, que elas não têm pênis-Falo. Se lembrarmos a ilusão infantil segundo a qual todo o mundo possui um Falo, compreenderemos por que o menino então rumina inconscientemente: "Uma vez que existe um ser neste mundo que perdeu seu Falo, também corro o risco de ficar privado dele." É com essa descoberta que a angústia de castração é definitivamente confirmada.

Temos então três variantes da fantasia de angústia, que devem ser compreendidas como o avesso das três fantasias de prazer:

• Se a fantasia de prazer é morder a mãe ou ter um filho com ela, isto é, *possuir o Outro*, a ameaça de castração incide sobre o objeto mais precioso: o *pênis-Falo*, ou seja, sobre a parte do corpo mais investida. Aqui, o *agente* da ameaça é o *pai repressor*, que lembra ao menino a Lei do interdito do incesto: "Não possuirás tua mãe nem lhe darás um filho!" Da mesma forma, ele se dirige à mãe, dizendo-lhe: "Não reintegrarás teu filho no teu seio!"

• Se a fantasia de prazer é uma fantasia de sedução, isto é, *ser possuído pelo Outro*, mais exatamente oferecer-se ao pai, a ameaça de castração incide igualmente sobre o Falo, mas dessa vez considerado menos como apêndice destacável que como símbolo da virilidade. Aqui, o *agente* da ameaça não é o pai repressor, mas o *pai sedutor*: o pai é um amante que o menino deseja, mas teme que vá longe demais e abuse dele. Nesse caso, a angústia não é o medo de perder o pênis-Falo, mas de perder a *virilidade* tornando-se a mulher-objeto do pai. "Tenho medo de ser assediado sexualmente pelo meu pai e de com isso perder minha virilidade." Insisto em dizer que essa fantasia de sedução do menino pelo pai e a angústia de ser assediado é uma fantasia primordial que pode ser constatada no tratamento analítico dos homens neuróticos.

• E, finalmente, se a fantasia de prazer é uma fantasia de afastar o pai rival, a ameaça de castração incide novamente sobre o *pênis-Falo* considerado a parte exposta do corpo. Aqui, o *agente* da ameaça é o *pai odiado* que intimida a criança para deter seus impulsos parricidas.

Eis, portanto, as três variantes da fantasia de angústia de castração. Na primeira, o pai é um *repressor* temido; na segunda, é um *tarado* temido; e, na terceira, é um *rival* temido. Em todos os casos, o agente da ameaça é o pai e o objeto ameaçado, o pênis-Falo ou seu derivado, a virilidade.

Resolução do Édipo do menino: a dessexualização dos pais

O menino desiste da mãe porque tem medo de ser punido em sua carne, ao passo que a menina – como veremos – abandona a mãe que a decepciona e volta-se para o pai.

A que leva à angústia de castração? Pois bem, é ela que precipita o fim da crise edipiana. Com efeito, dilacerado entre suas fantasias de prazer e suas fantasias de angústia, dividido entre a alegria e o medo, o menino é finalmente tomado pelo medo. A angústia, mais forte que o prazer, dissuade a criança de prosseguir sua busca incestuosa e a leva a *desistir* do objeto de seus desejos. Angustiada, a criança esquiva-se dos pais tomados como objetos sexuais para salvar seu precioso pênis-Falo, isto é, para proteger seu corpo. Com a renúncia aos pais e a submissão à

Lei do interdito do incesto, consuma-se assim o momento culminante, o apogeu do complexo de Édipo masculino. Finalmente, a criança consegue preservar seu Falo, mas ao preço de abandonar seus pais sexualizados. Em outros termos, sob ameaça, o menino angustiado tem de escolher entre proteger a mãe ou o pênis. Pois bem, é o pênis que ele protege e é a mãe que ele abandona. Ao renunciar à mãe, dessexualiza globalmente os dois pais e recalca desejos, fantasias e angústia. Aliviado, pode agora abrir-se a outros objetos desejáveis, mas dessa vez legítimos e adaptados às suas possibilidades reais. Somente assim, separada sexualmente dos pais, a criança pode doravante desejar outros parceiros escolhidos fora de sua família.

Comparado à mulher, o homem é visceralmente um covarde

> Quanto mais o menino for amado pela mãe, mais se tornará um homem viril. E quanto mais orgulhoso for de sua potência, mais se preocupará em defendê-la, suscetível quanto à sua virilidade e ridiculamente sensível ao menor "dodói". Comparado à mulher, o homem é visceralmente um covarde.

Gostaria aqui de esquematizar a seqüência da crise edipiana do menino. Temos então três tempos: *amor pelo pênis* → *angústia de perdê-lo* → *renúncia à mãe*. Graças à angústia, o narcisismo do menino, isto é, o amor pelo próprio corpo, o amor por seu pênis-Falo, prevaleceu sobre o desejo pelos pais. Sob ameaça, o narcisismo foi mais forte que o desejo ou, formulado em outras palavras, as pulsões de autoconservação venceram as pulsões sexuais. Insisto em dizer que essa vitória do narcisismo sobre o desejo foi precipitada pela angústia: não se esqueçam de que é por medo de se prejudicar que o menino se esquiva da mãe. Entretanto, a angústia será recalcada, e, freqüentemente, mal recalcada. Com efeito, veremos que a neurose na idade adulta é o retorno da angústia de castração mal recalcada na infância. Porém, fora desse retorno neurótico, é incontestável que a angústia de castração permanece onipresente na relação normal que um homem mantém com seus órgãos genitais e, mais genericamente, com sua virilidade. Apesar de seu recalcamento pela criança edipiana, a angústia, pivô do Édipo do menino, marca para sempre a condição masculina. Com isso, podemos deduzir o quanto a angústia está no centro da vida de um homem. Ela impregna tão fortemente o caráter masculino que não hesito em dizer, e a clínica o comprova, que o homem é uma criatura particularmente medrosa diante da dor física, e preocupado em garantir permanentemente sua virilidade e sua potência. O homem é essencialmente um ser aflito com a perda do poder que julga possuir, ou, para dizê-lo em uma síntese caricatural, o homem é um covarde. Sim, reconheço, nós, homens, somos visceralmente covardes; e essa covardia vem do medo; e o medo vem do narcisismo excessivo do corpo, da atenção inquieta e febril que dirigimos ao nosso corpo. Esclareçamos, da atenção que dedicamos não à aparência ou à beleza do corpo, mas ao seu vigor e, sobretudo, sua integridade. A propósito, ocorre-me aqui uma imagem divertida inspirada nas partidas de futebol, quando os jogadores formam a barreira para bloquear um tiro direto. Nesse momento, por reflexo, colocam as duas mãos cruzadas sobre o sexo para se protegerem da bola. É uma imagem burlesca, que lembra uma fileira de menininhos, todos preocupados com seus corpos, e é também uma ilustração clara da maneira como o homem vive seu sexo como seu mais íntimo calcanhar-de-aquiles. Porém o mais engraçado desse instantâneo futebolístico é constatar que, quando o jogador da equipe adversária bate finalmente a falta, os defensores da barreira, sempre preservando seu sexo, desequilibram-se espontaneamente como se tivessem medo de ser atingidos pela bola, e, às vezes, contra toda a expectativa, saltam no lugar para evitar serem atingidos pela bola, correndo o risco de deixá-la passar entre as pernas e vê-la no fundo das redes! Preocupados em se preservar, negligenciam sua missão, que é bloquear a bola. Da mesma forma, quando sua virilidade está em perigo, o homem fica tão preocupado em protegê-la quanto o jogador em proteger seu sexo. Ele pode arriscar tudo, até sua vida, mas nunca seu orgulho de ser viril. Ora, quem são as criaturas que, na vida de um homem, podem fazer-lhe mal, tomar-lhe o poder, ameaçar sua virilidade ou humilhá-lo senão o pai admirado e temido ou a mulher, isto é, a mulher que rivaliza com ele? Quem pode roubar-lhe a potência senão o pai admirado ou a mulher rival? Em todo caso, não a mãe. Ao contrário, a mãe alimenta sua força e o persuade sobre o destino excepcional que o espera... Eis por que recomendo sempre às mães que exprimam ao filho toda a confiança que depositam nele e o apóiem em seus projetos. Sobretudo que não o apóiem no que diz respeito à sua beleza ou sua imagem, mas ao seu poder de fazer e criar. Com efeito, repetir para ele que ele é bonito e simpático antes reforçaria seu "mau" narcisismo, o da imagem, e enfraqueceria seu eu. Não, decididamente, não é a mãe que ameaça o homem, são antes o pai idealizado e a mãe vingadora. Em suma, para o homem, o sexo, a virilidade e a força são as coisas a serem defendidas a todo custo.

Os frutos do Édipo: o supereu e a identidade sexual

Uma vez resolvido – eu deveria dizer insuficientemente resolvido, uma vez que a dessexualização dos pais nunca é completa e a angústia, nunca definitivamente recalcada –, o complexo de Édipo masculino terá duas conseqüências decisivas na estruturação da personalidade futura do menino: por um lado o nascimento de uma nova instância psíquica, o supereu, por outro a confirmação de uma identidade sexual nascida por volta dos dois anos de idade e afirmada mais solidamente após a puberdade. O supereu é instituído graças a um gesto psíquico surpreendente: o menino abandona os pais como objetos sexuais e os mantém como objetos de identificação. Uma vez que não pode mais tê-los como objetos de seu desejo, apropria-se deles como objetos do seu eu; na impossibilidade de *tê*-los como parceiros sexuais, promete inconscientemente *ser* como eles – em suas ambições, fraquezas e ideais. Sem poder possuí-los sexualmente, assimila a moral deles. É graças a essa incorporação que a criança integra os interditos parentais que doravante imporá a si mesma. O resultado dessa passagem da sexualidade à moral é o que designamos supereu e os sentimentos que o exprimem: pudor, senso de intimidade, vergonha e delicadeza moral.

O segundo fruto do Édipo é a assunção progressiva da identidade sexual. Antes do Édipo, a criança tinha um conhecimento rudimentar e intuitivo acerca da diferença dos sexos sem ainda ser capaz de se dizer menina ou menino ou afirmar que o pai é um homem e a mãe, uma mulher. No início do Édipo, nem sempre ele consegue identificar o sexo de seu pai, de sua mãe ou de seus irmãos e irmãs. Não esqueçamos que, aos três anos, a linha divisória ainda não passa entre homem e mulher, masculino e feminino, mas entre aqueles que têm o Falo e os que não o têm, entre os fortes e os fracos. Entretanto, o contexto familiar, social e lingüístico, bem como as sensações erógenas que emanam de sua região genital e a sensação de ser atraído pelo pai de sexo oposto, são os fatores que instalarão progressivamente as bases de uma identidade sexual que só será realmente adquirida muito mais tarde, na época da puberdade. É então que o jovem adolescente integrará a idéia de que o pênis é um atributo exclusivo do homem e, se já descobriu a vagina, que a vagina é um atributo exclusivo da mulher. Pouco a pouco, ele se forjará uma identidade sexual de homem e ao mesmo tempo descobrirá que a masculinidade e a feminilidade são antes de tudo comportamentos que não correspondem necessariamente à realidade fisiológica e anatômica de um homem ou de uma mulher. Aprenderá assim que todos os seres humanos, em virtude de sua constituição bissexual, possuem ao mesmo tempo características masculinas e femininas. Daí concluirá, talvez, que a diferença sexual permanece um enigma que não cessa de nos interrogar.

O leitor pode desde já se reportar à FIGURA 8 (p.126-7), que apresenta um quadro comparativo entre o tipo viril e o tipo feminino. Adianto que esse quadro deve ser lido como o conjunto dos traços dominantes que caracterizam o comportamento de um homem e o de uma mulher do ponto de vista do Édipo, e não como um conjunto de traços normativos.

Resumo da lógica do Édipo do menino

Antes de abordar o Édipo da menina, gostaria de resumir as diferentes fases atravessadas pelo menino edipiano, dando-lhe a palavra. Vamos escutá-lo:

"Tenho quatro anos. Sinto excitações penianas → Tenho o Falo e julgo-me onipotente → Desejo ao mesmo tempo possuir sexualmente meus pais, ser possuído por eles e eliminar meu pai → Sinto prazer em fantasiar meus desejos incestuosos → Meu pai ameaça me punir me castrando → Vejo o corpo nu de uma menina ou o de minha mãe e constato a ausência de pênis → Sinto mais medo ainda de ser punido → Angustiado, prefiro renunciar a desejar meus pais e salvar meu pênis → Esqueço tudo: desejos, fantasias e angústia → Separo-me sexualmente de meus pais e adoto a moral deles → Começo a compreender que meu pai é um homem e minha mãe uma mulher e a saber pouco a pouco que pertenço à linha dos machos → Mais tarde, na adolescência, minhas fantasias edipianas ressurgirão, mas meu supereu, muito severo nessa idade, vai se opor ferozmente a isso. Essa luta entre fantasias e supereu irá se manifestar por atitudes exageradas e conflituosas próprias da adolescência: pudor exacerbado, inibições, medo da mulher e desprezo por ela, bem como negação dos valores estabelecidos."

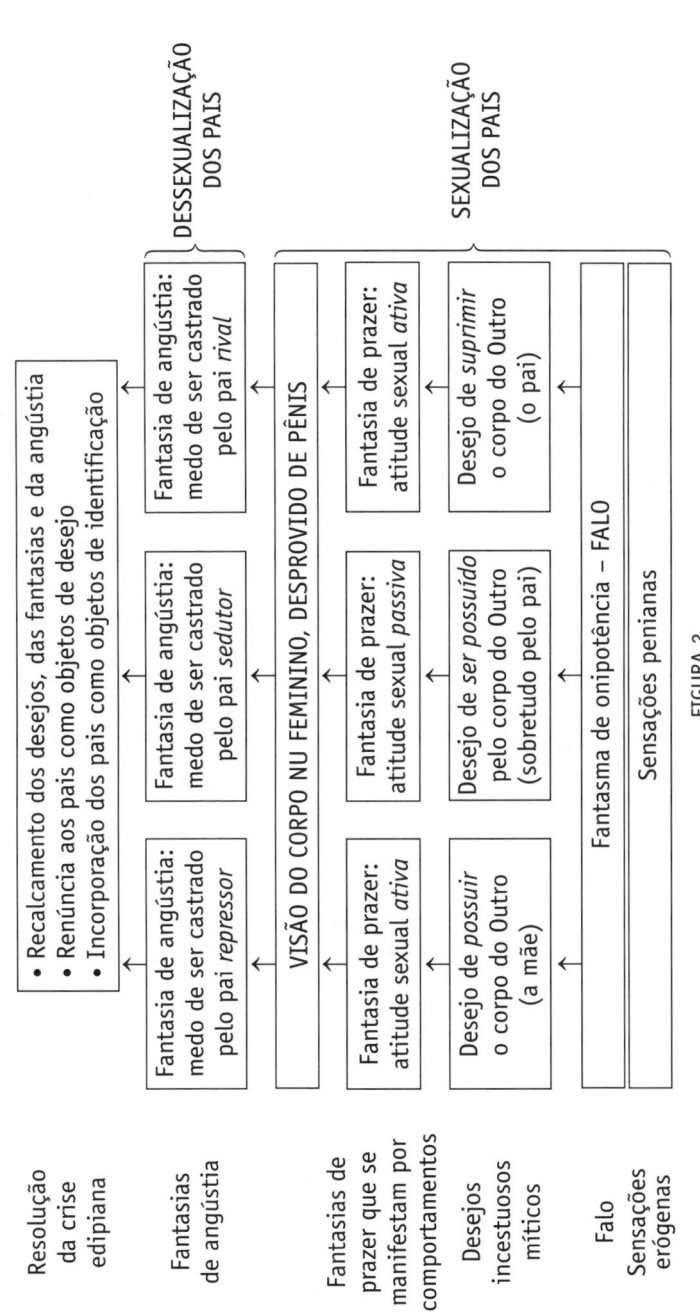

FIGURA 2
Lógica do Édipo do menino

Resolução da crise edipiana	• Recalcamento dos desejos, das fantasias e da angústia • Renúncia aos pais como objetos de desejo • Incorporação dos pais como objetos de identificação			DESSEXUALIZAÇÃO DOS PAIS
Fantasias de angústia	Fantasia de angústia: medo de ser castrado pelo pai *repressor*	Fantasia de angústia: medo de ser castrado pelo pai *sedutor*	Fantasia de angústia: medo de ser castrado pelo pai *rival*	
	VISÃO DO CORPO NU FEMININO, DESPROVIDO DE PÊNIS			
Fantasias de prazer que se manifestam por comportamentos	Fantasia de prazer: atitude sexual *ativa*	Fantasia de prazer: atitude sexual *passiva*	Fantasia de prazer: atitude sexual *ativa*	SEXUALIZAÇÃO DOS PAIS
Desejos incestuosos míticos	Desejo de *possuir* o corpo do Outro (a mãe)	Desejo de *ser possuído* pelo corpo do Outro (sobretudo pelo pai)	Desejo de *suprimir* o corpo do Outro (o pai)	
Falo	Fantasma de onipotência – FALO			
Sensações erógenas	Sensações penianas			

2. O Édipo da menina

- *Tempo pré-edipiano: a menina é como um menino*
- *Tempo da solidão: a menina sente-se sozinha e humilhada*
- *Tempo do Édipo: a filha deseja o pai*
- *Resolução do Édipo: a mulher deseja um homem*
- *A mais feminina das mulheres tem sempre o pai dentro de si*
- *Resumo da lógica do Édipo da menina*

Tempo pré-edipiano: a menina é como um menino*

Vou dar seqüência à nossa lenda metapsicológica descrevendo-lhes os quatro tempos do Édipo feminino. Vocês vão logo perceber que entramos em um mundo completamente diferente daquele do Édipo masculino. Ao passo que em um menino de quatro anos coexistem três desejos incestuosos – possuir, ser possuído e suprimir o Outro, na menina da mesma idade há apenas um desejo incestuoso no início: o de *possuir a mãe*, seguido mais tarde pelo de *ser possuída pelo pai*. Eu disse "possuir a mãe", ainda que isso lhes pareça estranho para uma menina. A esse propósito, um esclarecimento. Se respeitamos a acepção corrente da palavra "Édipo" como a atração erótica da criança pelo genitor do sexo oposto, não podemos dizer que a menininha que deseja possuir a mãe esteja no Édipo; ela vive antes um pré-Édipo considerado necessário para acessar o pai e entrar efetivamente no Édipo. Portanto, é sexualizando inicialmente a mãe que a menina poderá em seguida sexualizar o pai. Eis por que Freud chama

---

* A Figura 3 (ver p.64) acompanha a leitura deste Capítulo 2.

a etapa preparatória da sexualização do pai de "fase pré-edipiana". Já o menino não precisa dessa fase preliminar, uma vez que deseja desde logo o genitor do sexo oposto, isto é, a mãe; e a mãe será o único objeto de seu desejo edipiano. Acabo de dizer que o menino sempre tem a mãe como objeto, apesar de, a propósito da fantasia de sedução do menino, ter-lhes mostrado que o pai também pode ser objeto do desejo do filho. Entretanto, classicamente falando, deveríamos dizer que o menino deseja apenas um único objeto sexual, a mãe; ao passo que a menina deseja ambos: antes a mãe, depois o pai.

Estamos na aurora do século XXI e sou obrigado a evocar as incontáveis e apaixonantes discussões travadas pelos psicanalistas nos anos 1930 acerca da importância da fase pré-edipiana na vida de uma mulher. Com efeito, essa fase é essencial para compreendermos a problemática das pacientes neuróticas que recebemos todos os dias. Quando escuto uma mulher, penso sempre na relação dela com a mãe, e, paralelamente, quando escuto um homem, penso mais freqüentemente em sua relação com o pai. Claro que estou em vias de expor uma teoria do Édipo, mas gostaria de fazê-los perceber a incidência do Édipo na clínica e sobretudo fazê-los compreender que o problema das neuroses reside no difícil retorno à idade adulta de um *Édipo invertido*, isto é, do que era na infância a atração sexual pelo genitor do *mesmo* sexo. A menina se neurotiza portanto mais facilmente a partir de sua relação com a mãe, e o homem se neurotiza mais facilmente a partir de sua relação com o pai. Assim, deveríamos dizer que a neurose masculina resulta de uma fixação do filho pelo pai e a feminina, de uma fixação da filha pela mãe. Se, como analista, você escuta um homem neurótico, pense sobretudo no pai dele; e, na presença de uma mulher neurótica, pense antes em sua mãe.

Deixemos agora a clínica e consideremos por um instante a expressão consagrada: "entrar no Édipo". Quando diremos que uma menininha entra no Édipo? Nossa resposta é diferente da relativa ao menino. Este *entra* diretamente no Édipo porque desde logo deseja sua mãe e *abandona* o Édipo quando deseja outra mulher que não sua mãe. A menina, por sua vez, *entra* no Édipo (isto é, sexualiza seu pai) após ter atravessado a fase pré-edipiana durante a qual sexualiza, e depois rejeita, sua mãe, e *abandona* o Édipo quando deseja outro homem que não seu pai. Uma segunda dessimetria entre o menino e a menina diz respeito à velocidade com que eles saem do Édipo. O menino, como vimos, dessexualiza simultaneamente seus dois genitores de maneira rápida e brutal, ao passo que a menina dessexualiza primeiro a mãe e só depois, mais tarde, muito lentamente, separa-se sexualmente do pai. **O menino sai do Édipo em um dia, a menina precisa de muitos anos**. Assim, poderíamos dizer que o menino torna-se homem de uma tacada só, ao passo que a menina torna-se mulher progressivamente.

Mas voltemos ao período pré-edipiano, quando a menina deseja a mãe como objeto sexual, adotando perante ela a mesma atitude que o menino edipiano. Assim como ele, ela julga deter um Falo e mostra, por seus comportamentos, ser guiada por fantasias de onipotência fálica e prazer nas quais desempenha um papel sexual ativo em relação à mãe. Exatamente como o menino, ela se sente feliz, forte e orgulhosa; é curiosa, às vezes voyeurista, exibicionista e agressiva. Em suma, durante esse período, a menina é animada pelo desejo incestuoso de possuir a mãe, regozija-se por tê-la toda para si e adota uma posição nitidamente masculina, similar à do menino.

Tempo da solidão: a menina sente-se sozinha e humilhada

Ora, ocorrerá um acontecimento crucial que ofuscará o inocente e insolente orgulho da garotinha radiante por se sentir onipotente. Da mesma forma que o menino descobre, visualmente e angustiado, a ausência de pênis no corpo feminino, a menina constata a diferença de aspecto entre seu sexo e o do menino. A reação da menina é imediata; fica decepcionada por não ter o mesmo apêndice que o menino: "Ele tem alguma coisa que eu não tenho!" Até então fiava-se em suas sensações de poder vaginal e clitoridiano, que a confortavam em seu sentimento de onipotência. Agora que viu o pênis, duvida de suas sensações e julga que a fonte do poder não está nela, mas no corpo do outro, no sexo do menino. O impacto da visão do pênis, portanto, foi mais forte que a manifestada em suas sensações erógenas. A imagem desconcertante do pênis prevaleceu sobre seus sentimentos íntimos; o que ela viu aboliu o que ela sentia. A menina vê-se assim dolorosamente despossuída, pois o cetro da força não é mais encarnado por suas sensações erógenas, mas pelo órgão visível do menino. Agora o Falo está no outro e assume doravante a forma de um pênis. É então que, brutalmente, uma imensa ilusão desmorona, provocando um pungente dilaceramento interno.

Chamo essa fantasia, na qual a menina sofre com a dor de ter sido privada do precioso Falo, de "fantasia de privação", ou, mais exatamente, "fantasia da *dor* de privação". Enquanto o menino vivia a **angústia** de ter a perder, a menina vive a ***dor*** de ter perdido; enquanto o menino teme uma ***castração***, a menina se ressente de uma ***privação***. Lembrem-se, a fantasia que levou à resolução do Édipo no menino é uma fantasia de angústia. Temendo perder o Falo venerado que julga deter, o menino é levado a preferir o pênis à mãe. Para a menina, é radicalmente diferente: ela não tem medo de perder, uma vez que acaba de constatar que não tem pênis e que nunca o terá. Ao contrário do menino, ela nada tem a perder. Não, ela não receia perder, não sofre de angústia, sofre de dor, a dor de ter sido privada. Vejam, a angústia prevalece no menino e a dor, na menina. Mas dor por quê? Claro, dor por ter sido privada de um objeto inestimável que ela julgara possuir, mas sobretudo por ter sido enganada. Sim, a mininha sente-se enganada. Alguém todo-poderoso teria mentido para ela fazendo-a acreditar que ela detinha o Falo e que o conservaria eternamente. Mas quem é esse alguém senão sua própria mãe? Uma mãe ontem onipotente e que agora se revela impotente para lhe dar um Falo que ela própria não tem nem nunca teve. Sim, sua mãe também é tão desprovida quanto ela, merecendo apenas desprezo e recriminações.

É nesse exato instante que, despeitada, a menina esquiva-se da mãe e, em sua solidão, fica furiosa por ter sido privada e enganada. A dor de ter sido privada e a de ter sido enganada não passam na verdade de uma única e mesma dor, a qual chamo "dor da humilhação", isto é, sentir-se vítima de uma injustiça e julgar a auto-imagem ferida. Aqui, a privação e o amor-próprio ferido confundem-se em um único sentimento, o da humilhação. A experiência da privação foi vivida como uma ofensa irreparável ao "legítimo" orgulho de possuir o Falo, como um golpe humilhante infligido em seu narcisismo. Havíamos dito que, para o menino, o objeto narcísico por excelência é seu precioso órgão, o pênis-Falo, e que sua opção por salvá-lo leva-o a renunciar aos pais. Para a menina, ao contrário, o objeto narcísico por excelência não é uma parte de seu corpo, é seu amor-próprio, a imagem cativante de si mesma. O Falo, para a menina, não é o pênis, mas a *imagem de si*. Ora, a reação imediata ao amor-próprio ferido é reivindicar à mãe o que lhe é devido e se queixar do prejuízo que sofreu. Apenas mais tarde, quando a filha desejar o pai, chegará a época da reparação, da pacificação e da reconciliação com a mãe. Por ora, a menininha está só, pois não tem mais pais para quem se voltar: rejeitou a mãe e ainda não recorreu ao pai. É um período de negra solidão, em que a menina chora seu narcisismo ofendido.

Resumindo, se o menino sai do Édipo para proteger seu narcisismo, eu diria que a menina entra no Édipo, vai ao encontro do pai para pedir-lhe que faça um curativo em seu narcisismo ferido. Formulemos de outra maneira. Para o menino, a salvaguarda de seu pênis-Falo interrompeu o impulso incestuoso em direção à mãe, ao passo que a necessidade de consolação desperta na menina um novo desejo, o de ser possuída pelo pai. Ela abandona a mãe, e, para ser consolada, procura o pai na esperança de ser possuída por ele. *No caso do menino, o* narcisismo do corpo interrompe o Édipo; no caso da menina, o narcisismo da imagem de si abre para o Édipo.

A inveja ciumenta de deter o Falo

Voltemos, porém, um pouco, ao momento em que a menina descobre no menino o pênis-Falo que ela não tem. Ela sofre, sente-se lesada em seu amor-próprio e reivindica, exige mesmo, o que lhe cabe: "Quero esse Falo que me tomaram e o terei nem que tenha que arrancá-lo do menino!", ela exclama. Essa reivindicação mostra muito bem que a dor da humilhação comutou-se em fúria invejosa de deter o Falo. A menina é desde então presa de um sentimento que a psicanálise chama "inveja do pênis" e que prefiro chamar de "inveja do Falo" para enfatizar que a menina não inveja o órgão peniano do menino, mas o símbolo de potência por ele encarnado aos olhos das crianças. *O pênis não a interessa, e, às vezes, inclusive a repugna; o que a interessa e apaixona é o poder que ela lhe atribui e que a deixa com inveja.* Mas atenção! Inveja não é sinônimo de *desejo*. A inveja não é o desejo. Uma coisa é invejar o Falo, outra é desejar o pênis de um homem. Vejam, a menininha tem inveja do Falo, mas a mulher deseja o pênis; a inveja é um sentimento pueril, ao passo que o desejo de pênis é um impulso próprio da maturidade. Assim, para que uma menina venha a desejar o pênis de um homem, deve primeiro transformar-se em mulher, amadurecer seu Édipo, isto é, primeiro sexualizar seu pai e separar-se dele, para, mais tarde, tornar-se a companheira que goza do corpo e do sexo do homem amado. Não, a inveja do Falo é a inveja infantil e ciumenta de uma criança magoada, vingativa e nostálgica, que quer recuperar o símbolo do poder de que julga ter sido despossuída. Observem que, nesse duelo imaginário, ela luta de igual para igual com o menino e adota uma posição de rivalidade viril.

Tempo do Édipo: a filha deseja o pai

Eis que agora um novo personagem entra em cena: é o pai maravilhoso, grande detentor do Falo. É quando a menininha magoada e sempre ciumenta volta-se para ele a fim de se refugiar e se consolar, mas também para lhe reivindicar seu poder e sua potência. Quer ser tão forte quanto seu pai e brandir o Falo que a tornaria novamente senhora dos seres e das coisas. A tal pretensão, o pai todo-poderoso de sua fantasia opõe uma recusa inapelável, dizendo-lhe:

"Não, nunca lhe darei a chama da minha força, uma vez que ela cabe à sua mãe!" Naturalmente o pai que fala assim é um personagem caricatural, é o pai fantasiado por uma criança caprichosa e intransigente. Não, um pai adulto nunca falaria dessa forma. Se tivesse de responder a uma demanda tão pueril, antes replicaria: "Não, minha filha, não posso lhe dar o poder absoluto que você me atribui pela simples razão de que ele não existe. O Falo que você me pede é um sonho de criança, ainda que esse sonho seja uma velha quimera que levou os homens a se amarem, mas freqüentemente a se destruírem. Não, ninguém tem o Falo, e ninguém nunca o terá. Meu único poder, minha filha, meu mais dileto poder, é o poder supremo de desejar viver, de lutar a cada instante para fazer o que tenho de fazer, de amar o que faço e tentar transmitir-lhe esse desejo. Cabe a você depois transformá-lo em desejo feminino de amar, parir e criar."

Essa recusa irrevogável do pai é recebida pela filha como uma bofetada que põe fim a toda esperança de um dia conquistar o mítico Falo. Ela acaba de compreender que nunca o terá e, não obstante, não se resigna. Ao contrário, lança-se agora, com toda a fúria de seu desejo juvenil, nos braços do pai, não mais para lhe arrancar o poder, mas para ser ela mesma a fonte do poder. Sim, ela queria *ter* o Falo, mas agora quer ir mais longe, quer *sê*-lo, ser a coisa do pai. Que significa isso? Isso significa que a menina quer ser, ela própria e por inteiro, o Falo precioso. Em outros termos, quer se tornar a favorita do pai. Em virtude do "não", primeira recusa paterna, a *inveja* ciumenta de deter o Falo do pai dá lugar agora ao *desejo* incestuoso de ser possuída por ele, ser o Falo do pai. Quando a menina era invejosa, adotava uma posição masculina, agora que é desejante engaja-se em uma posição feminina. Ao sentimento masculino de inveja sucede o desejo feminino de ser possuída pelo pai.

Assim, ao sexualizar o pai, ator principal de suas fantasias, a menina entra efetivamente no Édipo. Por sinal, a fantasia de prazer que melhor ilustra o desejo edipiano de ser possuída pelo pai é a de ser sua mulher, esperança freqüentemente manifestada por essa frase: "Quando ficar grande, vou me casar com papai!" Essa entrada no Édipo é também o momento em que a mãe, após ter sido afastada, volta à cena e fascina a filha por sua graça e feminilidade. Com efeito, a mãe, antes tão desacreditada, é agora admirada como mulher amada e modelo de feminilidade. Espontaneamente a menina então aproxima-se da mãe e identifica-se com ela, mais exatamente com o desejo da mãe de agradar seu companheiro e ser amada por ele. O comportamento edipiano da menina inspira-se plenamente no ideal feminino encarnado pela mãe; a criança é toda olhos e ouvidos na observação da mãe e no aprendizado da arte de seduzir o homem. É a idade em que as filhas adoram observar a mãe se maquiando ou se embelezando – ainda que a admiração pela mãe seja duplicada por uma forte rivalidade: toda mãe é então, para a filha, tanto um ideal quanto uma temível rival. Assim, realiza-se o primeiro movimento de identificação da filha com o desejo da mãe, o de ser a mulher do homem amado e dar-lhe um filho.

Resolução do Édipo: a mulher deseja um homem

Da mesma forma que o pai recusou o Falo à sua filha, nega-se agora, com a mesma firmeza, a tomá-la como objeto sexual, a considerá-la como seu Falo, isto é, a possuí-la incestuosamente. Depois que a primeira recusa – "Não lhe darei minha força!" – permitiu à filha aproximar-se da mãe e com ela identificar-se, a segunda – "Não a quero como mulher!" – leva a filha a identificar-se com a pessoa do pai. Com efeito, produz-se um fenômeno curioso, mas perfeitamente saudável, no desenvolvimento do Édipo feminino: uma vez que a menina não pode ser o objeto sexual do pai, quer ser então como ele. "Já que não quer saber de mim como mulher, então vou ser como você!" Que significa isso? Que a menina aceita recalcar seu desejo de ser possuída pelo pai, sem com isso renunciar à sua pessoa. Enquanto o menino edipiano resigna-se a perder a mãe por covardia, por sua vez, a menina, que nada mais tem a perder, obstina-se audaciosamente a se apoderar do pai. Ela queria ter o Falo, recusaram-lhe; ela quis sê-lo, foi despachada; agora basta, quer tudo, quer o pai por inteiro e o terá! Eis por que digo que a dessexualização do pai é, no fundo, um luto: a menina chora o pai sexualizado e o faz reviver dessexualizado nela. Assim como o enlutado, que, na saída do luto, acaba por se identificar com o defunto, a menina, tendo renunciado ao pai fantasiado, acaba por se identificar com a pessoa do pai real. Ela mata seu pai fantasiado, mas o ressuscita como modelo de identificação. Em outras palavras, a menina deixa de considerar o pai desejável em suas fantasias edipianas e incorpora sua pessoa no eu. Assim, impregna-se de atitudes, gestos e até mesmo desejos e valores morais que caracterizam seu pai no real. Ela é "o retrato escarrado do pai". Identificada com os traços masculinos do pai depois de se ter identificado com os traços femininos da mãe, a menina enfim abandona a cena edipiana, abrindo-se agora para os futuros parceiros de sua vida de mulher. Notem que as duas identificações constitutivas da mulher – identificação com a feminilidade da mãe e identificação com a virilidade do pai – foram desencadeadas por duas recusas do pai: recusa de dar o Falo à filha e recusa de tomá-la como Falo.

Mas mudemos o tom. O cara a cara a que acabamos de assistir, opondo a filha edipiana ao pai, inspirou-me esse breve e animado diálogo entre nossos dois heróis legendários. Apresso a adverti-los que o pai da cena seguinte é um homem saudável e apaixonado pela mulher!

A menina: Pai, dê-me sua força!
O pai: Não! Não farei nada disso. Não lhe darei minha força. Dou-a à sua mãe.

A menina: Mas então eu queria ser sua força! Por favor, deixe-me ser sua musa, a fonte ardente de sua força. Pai, eu suplico! Olhe para mim! Sou seu objeto mais precioso. Possua-me!
O pai: Não! Está fora de questão! Você não é minha mulher. Já lhe recusei minha força, e aceito ainda menos que você seja a fonte dela.
A menina: Já que é assim, já que você me priva de sua força e não me deixa ser sua musa, então vou me apoderar de você e ser como você, o que me diz disso? Melhor que você! Sim, vou devorá-lo inteirinho e me parecer com você a ponto de andar como você, ter o nariz como o seu, a intensidade do seu olhar, o brilho da sua inteligência ou o ardor da sua ambição. Então serei tão forte quanto você, e, você verá, muito mais forte!

Eis a avidez juvenil, a vontade pugnaz de uma menina que só terá fim quando realizar seu desejo de ser amada e, chegado o momento, esperar um filho. Amar e transmitir a vida, definitivamente, é a missão mais digna que a natureza atribui à mulher. Como se a natureza – se de fato existe uma entidade chamada natureza – a encorajasse, intimando-lhe: "Defenda o desejo com o bico e as garras, proteja o amor e garanta a transmissão da vida!"

Antes de prosseguir, gostaria de lhes dizer o quanto a literatura analítica sobre o Édipo feminino é imensa, rica e repleta de questões. Entretanto, todos os autores convergem para a mesma conclusão, isto é, que a feminilidade permanece um enigma não-resolvido. Porém, uma vez reconhecida nossa ignorância, nem por isso avançamos muito. Da minha parte, tentei aprofundar a lenda da menina edipiana, modelar sua história e propor um roteiro claro e detalhado para ela, um roteiro inspirado pela teoria psicanalítica e a escuta dos meus pacientes. Quis dramatizar minha intuição de que a menina, ao contrário do menino, era animada por uma sede inextinguível de amor e que o crescendo de seu Édipo – "Dê-me! Pegue-me! e Eu o devoro!" – não passava da escalada irresistível de um desejo que perpassa todas as fibras de sua feminilidade.

A mais feminina das mulheres tem sempre o pai dentro de si

"Meu pai deixou seu selo em mim: ele impregnou meu desejo, modelou a forma do meu nariz, marcou o ritmo dos meus passos, e, apesar disso, sinto-me a mais feminina das mulheres."

DECLARAÇÃO DE UMA PACIENTE

Gostaria de me deter ainda por um instante na identificação da filha com a pessoa do pai. Do ponto de vista clínico, vocês não imaginam a importância do pai fantasiado na vida de uma mulher. Ao escutarem uma mulher sofredora, indaguem-se duas coisas. Em primeiro lugar, como já disse, indaguem-se sobre o laço, freqüentemente conflituoso, que ela estabeleceu com o genitor do mesmo sexo, isto é, com sua mãe; depois, indaguem-se qual é o pai que está dentro dela. Sim, uma mulher tem sempre seu pai dentro de si. Sempre que escuto uma paciente, ocorre-me a idéia de que é habitada pelo pai. Seguramente essa identificação não é válida para todas as mulheres, mas quando ela se confirma, e se você for um bom observador, você descobre facilmente o pai nas expressões distraídas do rosto de sua paciente, nas rugas de sua testa, na rudeza de suas mãos, na forma de seu nariz e, sobretudo, em sua maneira espontânea de se comportar e andar. Não é incomum uma mulher adotar inconscientemente o mesmo meneio de cabeça e a mesma postura do pai. Incontestavelmente, o pai fantasiado ocupa um lugar central na vida de uma mulher. Aqui, penso em uma situação familiar mais clássica. Uma vez identificada com o pai, a filha pode não suportar mais seu verdadeiro pai, seu pai de carne e osso. Freqüentemente, se aborrece com ele e o critica por seus defeitos e fraquezas, ou, simplesmente, por ser o que é. Assim, o pai, quero dizer o verdadeiro pai, o pai que somos, tem diante de si, na pessoa da filha, a encarnação de seu próprio supereu. Sua filha tornou-se para ele, sem que ela o saiba, seu mais temível rival, e ele, para ela, seu mais intolerável espelho.

Uma última observação sobre a patologia da identificação da filha com o pai. Quando essa introjeção não é contrabalançada pela identificação com a mãe, instala-se uma das neuroses femininas mais tenazes, que designo como *histeria de amor*, que consiste em uma rejeição do laço amoroso. A mulher inteiramente tomada pelo pai fantasiado não consegue empreender uma relação amorosa duradoura; todos os seus receptores de amor estão saturados pela onipresença paterna. Ela não tem namorado mas continua fortemente impregnada pelo pai amado; está sozinha e insatisfeita, mas arrebatada por sua paixão secreta. Não é nem vingativa nem odiosa a respeito do homem, simplesmente aposentou-se da vida amorosa e sexual. Resumindo, prefere preservar seu pai interior a se lançar em uma relação afetiva, sempre frágil, em que se sente exposta ao risco de ser abandonada.

Porém, salvo essa eventual deriva neurótica resultante de uma intensa identificação com o pai, a menina se apropriará diversamente dos traços femininos e masculinos assimilados ao mesmo tempo da mãe e do pai. Este é precisamente o desfecho mais freqüente do Édipo feminino. O fim do Édipo é, com efeito, um comprido caminho, ao longo do qual a menina, ao se tornar mulher, adotará traços masculinos e femininos e transformará progressivamente seu desejo de ser possuída pelo pai em desejo de ser possuída pelo homem amado. Opera-se assim uma lenta dessexualização da relação edipiana com o pai e, correlatamente, a assunção de sua identidade feminina.

Como então é resolvido o Édipo da menina? Proponho-lhes o que poderia ser seu desenlace ideal. A fantasia dolorosa de ter sido privada de um Falo todo-poderoso encerrou-se definitivamente. Agora, a jovem em seu devir mulher esqueceu-se completamente da alternativa pueril de ter ou não ter o Falo. Ela não mede mais seu ser nem seu sexo com a régua de um suposto Falo masculino. Ela fez o luto do Falo ilusório e constata que seu sexo é diferente da falta de um Falo desaparecido. Assim, supera a idéia infantil que faz da mulher uma criatura castrada e inferior e pára de recriminar a mãe e de rivalizar com o homem. A menina descobre a vagina, o desejo de ser penetrada e gozar com o pênis na união sexual; da mesma forma, descobre o útero e seu desejo de carregar um filho do homem amado.

Mais uma palavrinha, antes de concluir, a fim de dissipar um mal-entendido corriqueiro: que a psicanálise, fundadora do conceito de Falo, concebia a mulher como uma criatura castrada e inferior! Isso é um absurdo! A única coisa que a psicanálise fez — e foi uma verdadeira revolução — foi descobrir que os seres humanos são habitados por fantasias tão mórbidas quanto o mais nefasto dos vírus, e que a mais virulenta dessas fantasias é representar a mulher como uma criatura castrada e inferior. Essa fantasia é antes de tudo uma quimera infantil. Sei muito bem que essa representação pueril está igualmente instalada na cabeça de vários adultos neuróticos. São justamente os neuróticos que acham que a mulher é uma criatura castrada – quando, evidentemente, isso é falso. O sexo de uma mulher não é de forma alguma a falta do que quer que seja! A mulher tem seu próprio sexo, e tem orgulho dele; quer se trate de sua vagina, de seus seios, de sua pele ou de todo o seu corpo erógeno, a mulher é feliz por ser o que é. Mas por que dizer que o neurótico, homem ou mulher, considera a mulher uma criatura inferior? Porque é dele próprio que se trata; é ele a mulher fraca! Fixado em sua fantasia infantil, o neurótico vive sob a ameaça de ser castrado. Assim, todas as suas relações afetivas são vividas no modo defensivo: está sempre de prontidão para bloquear qualquer abuso ou humilhação proveniente daqueles que o cercam, daqueles de quem depende e... de quem ele não gostaria nem morto de depender. É como se, em suas fantasias, o neurótico se dissesse: "Eles não me terão! Não sou uma mulherzinha!" Decerto a psicanálise postula que o Falo existe e que a mulher é castrada, mas, vocês entenderam, o Falo é uma ilusão e a mulher é castrada tão-somente na imaginação inconsciente das crianças e dos neuróticos.

Resumo da lógica do Édipo da menina

A exemplo do menino que nos contou sua travessia edipiana, escutemos agora o depoimento da menina:

Tempo pré-edipiano	"Tenho quatro anos. Sinto excitações clitoridianas → Tenho o Falo, tenho orgulho dele e julgo-me onipotente → Assim como um menino, **desejo possuir minha mãe** →	A menina é um menino
Tempo da solidão	Na frente de um garotinho nu, **descubro que não tenho** Falo → Sofro por ser privada dele → Constato que minha mãe também é desprovida dele → Critico-a por ter-me feito acreditar que ambas o tínhamos → Logo, ela me enganou → Despeitada, abandono minha mãe → Agora sinto-me sozinha e humilhada. Estou ferida em meu amor-próprio → Invejo o menino →	A menina sente-se humilhada
Tempo do Édipo	Volto-me agora para o meu pai, grande detentor do Falo → Sempre ciumenta e invejosa, peço-lhe que me dê o Falo – **Ele me recusa o Falo** → Peço a meu pai para me consolar → Minha inveja transformou-se em desejo. Não quero mais ter o Falo do meu pai, quero sê-lo; quero ser a favorita do meu pai → Então identifico-me com minha mãe enquanto mulher desejada e modelo de feminilidade → **Desejo ser possuída pelo meu pai** →	A menina deseja o pai
Resolução do Édipo	**Meu pai se recusa** → Dessexualizo meu pai, mas **incorporo sua pessoa** → Pouco a pouco torno-me mulher e me abro para o homem amado → Paro de medir meu sexo pela régua de um mítico Falo e descubro a vagina, o útero e o desejo de ter um filho do meu companheiro."	A mulher deseja um homem

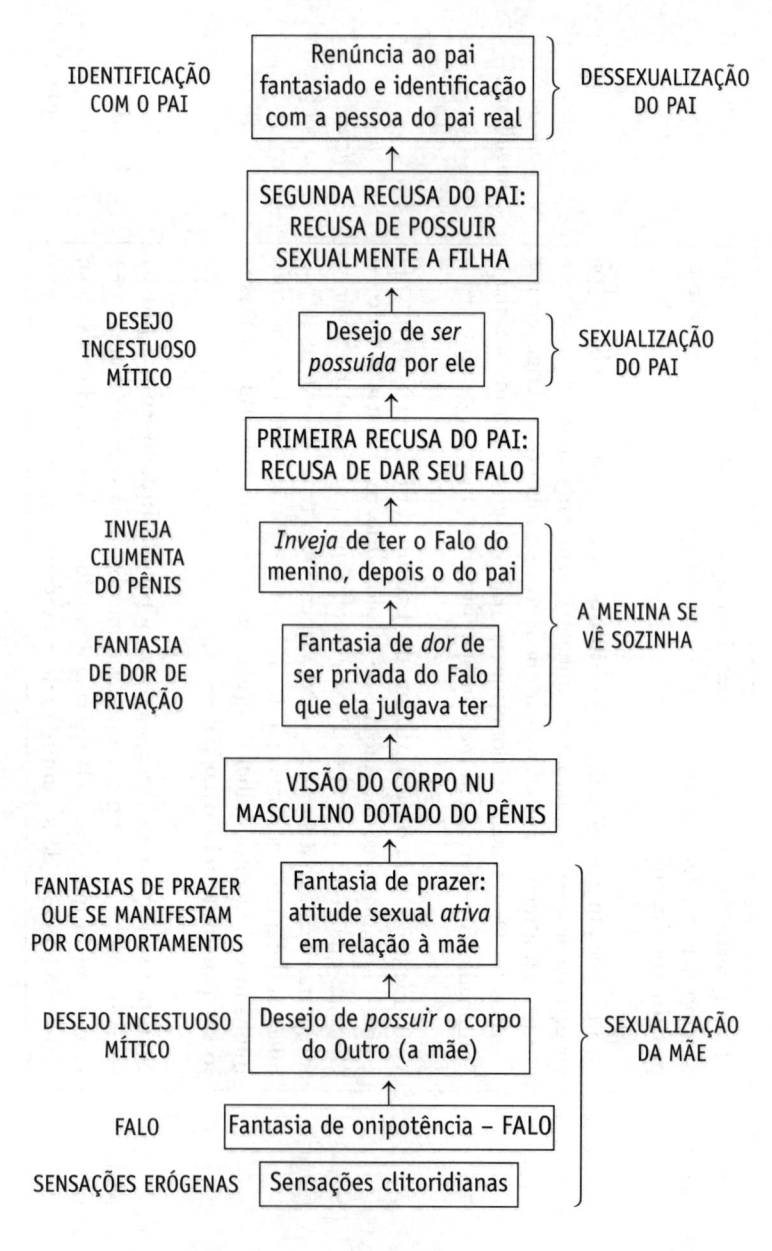

IDENTIFICAÇÃO COM O PAI	Renúncia ao pai fantasiado e identificação com a pessoa do pai real	} DESSEXUALIZAÇÃO DO PAI
	↑	
	SEGUNDA RECUSA DO PAI: RECUSA DE POSSUIR SEXUALMENTE A FILHA	
	↑	
DESEJO INCESTUOSO MÍTICO	Desejo de *ser possuída* por ele	} SEXUALIZAÇÃO DO PAI
	↑	
	PRIMEIRA RECUSA DO PAI: RECUSA DE DAR SEU FALO	
	↑	
INVEJA CIUMENTA DO PÊNIS	*Inveja* de ter o Falo do menino, depois o do pai	
	↑	} A MENINA SE VÊ SOZINHA
FANTASIA DE DOR DE PRIVAÇÃO	Fantasia de *dor* de ser privada do Falo que ela julgava ter	
	↑	
	VISÃO DO CORPO NU MASCULINO DOTADO DO PÊNIS	
	↑	
FANTASIAS DE PRAZER QUE SE MANIFESTAM POR COMPORTAMENTOS	Fantasia de prazer: atitude sexual *ativa* em relação à mãe	
	↑	
DESEJO INCESTUOSO MÍTICO	Desejo de *possuir* o corpo do Outro (a mãe)	} SEXUALIZAÇÃO DA MÃE
	↑	
FALO	Fantasia de onipotência – FALO	
SENSAÇÕES ERÓGENAS	Sensações clitoridianas	

FIGURA 3
Lógica do Édipo da menina

3. Perguntas e respostas sobre o Édipo

De que problema o conceito de Édipo é a solução?

O sr. afirma com freqüência que um conceito psicanalítico é a resposta a uma questão. Qual seria a questão que leva ao Édipo?*

Perfeito! Um conceito psicanalítico só tem valor caso se demonstre indispensável à coerência da teoria e à eficácia de nossa prática. Princípio ainda mais verdadeiro quando se trata de noção tão capital quanto a que acabo de expor. De que problema, então, o Édipo é a solução? Para mim, o Édipo responde a duas questões: como se forma a identidade sexual de um homem e de uma mulher e como uma pessoa torna-se neurótica. Logo, o problema cuja solução é o Édipo é o da origem da nossa sexualidade de adulto e, mais além, da origem dos nossos incontáveis sofrimentos neuróticos. Essas duas questões, sexualidade e neurose, estão tão intimamente imbricadas que podemos dizer que a neurose resulta de uma sexualidade infantil perturbada, interrompida em sua maturidade, hipertrofiada ou, ao contrário, inibida. No fundo, o Édipo

---

* As perguntas que respondo foram redigidas a partir das intervenções dos ouvintes que assistiram às diferentes exposições orais que realizei sobre o tema do Édipo.

nos serve para compreender como um prazer erótico apodera-se de uma criança de quatro anos para se transformar em um sofrimento neurótico que atormenta o homem ou a mulher de quarenta anos que ela se tornou.

Gostaria agora de formular a mesma idéia mas lembrando a vocês o que levou Freud à descoberta do Édipo. De onde ele tirou a idéia do Édipo? Da observação das crianças? Em absoluto. Decerto estava atento a seus comportamentos, mas não foi estudando a relação pais-filhos que concebeu a noção de Édipo, ainda que a realidade familiar, seja de ontem, seja de hoje, confirme cotidianamente a descoberta freudiana. Não, não foram as crianças que introduziram o Édipo. Devemos então supor que a invenção freudiana decorre da auto-análise de Freud. Efetivamente, foi ao sonhar, analisar seus sonhos, evocar sua infância e dirigir por escrito essas reflexões ao amigo e correspondente Wilhelm Fliess que Freud elaborou o Édipo; um Édipo dominado essencialmente pelo desejo parricida e pela culpa daí resultante, na medida em que a idéia do Édipo foi exposta pela primeira vez no mesmo ano, 1897, da morte de Jacob Freud, seu pai. Entretanto, não foi a partir de sua introspecção que Freud apreendeu o essencial desse conceito nodal da psicanálise. Minha hipótese é bem outra. Submeto-a a vocês. O Édipo é uma invenção forjada por Freud na escuta de seus pacientes adultos. Deixem-me agora propor-lhes uma ficção.

Estamos em Viena em 1896, no consultório da Berggasse 19, no momento em que Freud recebe uma paciente histérica que lhe fala de sua infância. Ao mesmo tempo em que a escuta atentamente, Freud busca confirmar a tese que elaborara recentemente sobre a etiologia da histeria. Com efeito, por essa época ele acha que a histeria é provocada pela incapacidade do paciente de recordar um trauma sexual ocorrido nos primeiros anos de sua vida. Criança, Freud reflete, a paciente teria sofrido um abuso sexual cometido por um adulto. E seria o esquecimento tenaz dessa cena de sedução que a teria tornado neurótica. Enquanto permanecer recalcada no inconsciente, a cena de sedução traduz-se em sintomas que causam sofrimento; mas basta torná-la consciente para que perca a virulência. Justamente, para curar a histeria, pensava Freud, é preciso que as cenas de conteúdo sexual que jazem no inconsciente tornem-se conscientes, única condição para que se enfraqueçam e deixem de ser um foco patogênico. Assim, Freud escuta a jovem histérica tentando saber se na infância ela foi seduzida por um adulto e, em caso afirmativo, tentando fazê-la relatar os detalhes do incidente e sobretudo reviver seu vivido traumático. Muitos de vocês sabem que, anos mais tarde, Freud vai operar uma mudança capital em sua teoria, admitindo que essas famosas cenas de sedução não haviam necessariamente ocorrido, sendo antes fantasias imaginadas por seus pacientes. Assim, os sintomas neuróticos seriam não a conseqüência de um abuso sexual realmente sofrido, mas de um abuso sexual fruto da fantasia e esquecido. No fundo, seja um acontecimento real ou fantasiado, pouco importa, pensava ele, a cena de uma sedução sexual infantil, cometida por um adulto perverso, permanece a verdadeira causa da histeria, sob a condição, todavia, de que tenha sido recalcada. Lembrem-se que a histeria é principalmente uma doença do esquecimento, que a histérica é histérica porque não quer se lembrar do que foi doloroso.

Mas que relação há entre isso e o Édipo? Pois bem, acho que Freud descobriu o Édipo ao refletir no roteiro e nos atores que atuam na cena de sedução. No caso da neurose, a menina é seduzida por um homem perverso; no caso do Édipo, a menina é seduzida pelo próprio pai. A cena fantasiada de sedução na origem da histeria transformara-se, no pensamento de Freud, em uma cena fantasiada na qual a criança era seduzida pelo pai sem por isso ser vítima de um abuso sexual, sem por isso ficar siderada por um prazer de efeitos nocivos; bastava que um dos pais fosse mais carinhoso que de costume para que a criança sentisse esse excesso de ternura como um estímulo erógeno e um prazer sexual muito intenso. Mas ter pensado no pai ainda não é a plena descoberta do Édipo. Falta o elemento principal. Gostaria de ser muito claro neste ponto. Ao escutar sua paciente relatar um incidente sexual da infância, Freud imagina a cena, identifica-se com o personagem da criança seduzida e percebe que essa criança não é apenas passiva, é habitada pelo desejo *ativo* de ser seduzida pelo pai. Sim, a chave do Édipo reside no *desejo* incestuoso *da criança* de ser possuída pelo pai. Freud descobriu o Édipo ao passar de uma cena de sedução na qual uma menininha assustada é a vítima passiva de um agressor adulto para a cena edipiana em que uma menininha inocente e sensual é a instigadora inconsciente que incita o pai ou o irmão mais velho a desejá-la sexualmente. A criança da cena de sedução é uma vítima, ao passo que a criança da cena edipiana é atormentada entre o desejo de ser seduzida e o medo de sê-lo, entre o medo de sentir o prazer e o medo de experimentá-lo.

Agora que conhecemos o contexto da descoberta do Édipo, podemos voltar à sua pergunta inicial: de que problema o Édipo é a solução? O Édipo é uma *fantasia de sedução* na base da identidade sexual de todo homem e toda mulher: uma fantasia de *prazer* e de *angústia*. Em geral, essa fantasia é metabolizada pela criança, mas pode ocorrer de o prazer, a angústia ou a dor serem traumáticas e dificilmente recalcáveis, isto é, de as emoções vividas pela criança edipiana na situação de sedução serem tão violentas que permaneçam ativas e fomentem uma neurose na idade adulta. A fantasia edipiana que não foi liquidada permanece virulenta, aflora à consciência e se exterioriza repetitiva e compulsivamente na vida do neurótico.

Com que idade uma criança sente prazer sexual pela primeira vez?

Em primeiro lugar, uma evidência: o prazer sexual vivido por uma criança é de natureza diversa do que nós, adultos, experimentamos. Dito isto, sabemos que na vida intra-uterina um feto já pode ter ereções que nos permitem atribuir-lhe uma vivência, se não de excitação sexual, pelo menos de frêmito genital. Isso mostra como não há idade para o prazer sexual, sob a condição de que o corpo da criança esteja em contato com um adulto igualmente excitado, desejante e sentindo prazer em se dedicar a ela, ainda que o mais terna e castamente possível. A esse respeito, tenho aqui algumas espantosas linhas de Freud, que gostaria de ler para vocês. Freud não hesita em "identificar os sentimentos de ternura com o amor sexual". Afirma assim que "as relações entre a criança e a mãe são para esta uma fonte contínua de excitação e satisfação sexuais, intensificando-se quanto mais ela demonstrar, para a criança, sentimentos que derivem de *sua própria vida sexual*: beijá-la, niná-la, considerá-la o substituto de um objeto sexual pleno. É provável, prossegue Freud, que uma mãe fique vivamente surpresa se lhe dissermos que, dessa forma, com suas *ternuras*, ela desperta a pulsão sexual da criança. Ela julga que seus gestos demonstram um *amor assexual* e *puro* no qual a sexualidade não desempenha papel algum, uma vez que ela evita excitar os órgãos sexuais da criança além dos cuidados corporais exigidos. Mas a pulsão sexual, como sabemos, não é despertada apenas pela excitação da zona genital; a ternura também pode ser excitante.

Ao lhes apresentar o Édipo, afirmei que a sexualidade estava no cerne do amor e do ódio familiares, porém, na passagem que acabo de ler, Freud vai muito mais longe, pois não diz que o sexual jaz na ternura, mas que a própria ternura é uma excitação sexual.

Se é verdade que um bebê pode sentir prazer sexual nos braços da mãe, poderíamos deduzir que o Édipo aparece bem antes dos três ou quatro anos de idade?
Esta é precisamente a posição de Melanie Klein, que postula um Édipo precoce no recém-nascido; e a de Lacan, ao considerar que não haveria idade para o Édipo, uma vez que o desejo da criança não passa do prolongamento do desejo da mãe; posição que é efetivamente a de Freud no trecho que acabam de ouvir. Logo, há uma diferença entre o Édipo kleiniano e o Édipo freudiano. Para Melanie Klein, as pulsões eróticas de um bebê incidem sobre a mãe percebida não como

uma pessoa global, mas como um objeto parcial; a mãe reduz-se ao seio. O Édipo kleiniano pode ser um Édipo oral, anal etc. Para Freud, é diferente. O Édipo existe apenas se as pulsões eróticas da criança incidirem sobre a mãe ou o pai como pessoas globais dotadas de um corpo, habitadas por um desejo e suscetíveis de sentirem prazer. Enquanto para Melanie Klein o Édipo é oral ou anal, para Freud o Édipo está além do pré-genital e aquém do genital, sendo acima de tudo *fálico*.

Como se dá o Édipo quando a mãe vive sozinha com o filho?

Plenamente, sob a condição de que a mãe seja desejante. Pouco importa que a mãe viva sozinha, o que conta é que seja apegada a alguém, que deseje alguém; e, no caso de não ter nenhum parceiro amoroso, o que conta é que seja interessada por outra coisa que não o filho, que o amor pelo filho não seja o único amor de sua vida. Em suma, há Édipo a partir do momento em que a mãe deseja um terceiro entre ela e o filho. Eis o pai! O pai é o terceiro que a mãe deseja.

★

"Freud não deu explicação científica para o mundo mítico. Propôs um novo mito, eis o que ele fez."
WITTGENSTEIN

Claro que Freud propôs um mito novo, mas que mito! Que fecundidade! É graças a esse formidável instrumento teórico que os psicanalistas sabem atualmente escutar seus pacientes e os consolar.

Afinal, o Édipo é uma realidade observável ou uma fantasia deduzida pelos psicanalistas?

Já lhes mostrei que o Édipo era ao mesmo tempo realidade e fantasia, mas aproveito sua pergunta para abordar o problema de outro ângulo. Digamos que o complexo de Édipo seja um conjunto de sentimentos contraditórios de natureza inconsciente refletindo os sentimentos conscientemente vividos pela criança na relação triangular com os pais. No fundo, o Édipo *é um complexo intra-subjetivo engendrado por uma realidade intersubjetiva*. É importante conceber o Édipo como uma fantasia inconsciente em um único indivíduo, ainda que seja preciso o apoio de outro indivíduo desejante – acabamos de ver isso ao ler Freud – para que essa fantasia se forme e subsista. Por outro lado, sabemos que a fantasia edipiana é uma hipótese, uma construção do espírito construída a partir dos comportamentos da criança a respeito dos pais e, sobretudo, a partir das recordações infantis relatadas por nossos pacientes adultos em análise. De fato, o Édipo nem sempre é um fenômeno observável ou uma hipótese verificável. A psicanálise não é uma ciência do comportamento. Não. O Édipo deve ser tomado como um esquema teórico eficaz com impacto inegável na vida afetiva de um indivíduo em nossa cultura. É portanto, falando propriamente, uma *fantasia* e um *mito*. Digamos com mais clareza ainda: de um ponto de vista clínico, o Édipo é uma fantasia que atua desde o âmago do ser e o impregna por inteiro. E, do ponto de vista cultural, o Édipo é um mito, mito de todos, uma vez que é a fábula simbólica, simples e chocante, que põe em cena personagens familiares encarnando as forças do desejo humano e os interditos que se lhes opõem.

Ora, seja fantasia ou mito, o complexo edipiano também é um *conceito crucial* absolutamente indispensável à consistência da teoria e à eficácia da prática psicanalítica. Não hesito em lhes dizer: sem o conceito de Édipo, a maioria das noções analíticas estaria à deriva, e, sem a fantasia do Édipo, seríamos incapazes de esclarecer a infinita complexidade dos sofrimentos psíquicos. Seguramente, é graças a esse formidável instrumento conceitual que os psicanalistas sabem atualmente escutar seus pacientes, compreendê-los e consolá-los. Penso aqui em um texto em que Lacan já assinala o valor teórico insubstituível do Édipo. Eis o que ele escreve em sua "Proposição de 9 de outubro de 1967 sobre o psicanalista da Escola": "Eu gostaria de iluminar meu ponto essencial simplesmente com o seguinte: retire-se o Édipo e a psicanálise ... torna-se inteiramente da alçada do delírio...." Incontestavelmente, o Édipo é a pedra angular do edifício analítico: ele é uma *crise* manifesta da sexualidade infantil; uma *fantasia* inconsciente; um *mito* social; e o *conceito* mais crucial da psicanálise.

Na tragédia de Sófocles, o personagem principal é o destino, sobre o qual os heróis não têm influência alguma. Qual seria o lugar do destino no complexo de Édipo?

Não se esqueça de que Freud sempre foi obcecado pelo destino, pelo que a vida nos reserva e ignoramos. O jovem Édipo termina por matar o pai, ao passo que, paradoxalmente, Laio fizera de tudo para escapar ao oráculo que pressagiava o gesto parricida do filho. Ninguém conhece seu destino ou dele escapa! Assim, o complexo de Édipo é a prova da qual criança alguma escapa, e que a marca para sempre. Mas de que prova iniciática se trata? Qual é esse ritual incontornável que denominamos Édipo? É a experiência de uma perda e de um luto, o dos pais fantasiados como parceiros sexuais. Sim, o Édipo é, na vida de uma criança, a primeira separação profunda e interior dos pais. É uma separação obrigada que prenuncia a futura emancipação do jovem adulto. Quer se trate do Édipo feminino ou masculino, em ambos os casos são os pais que perdemos, e isto inelutavelmente. Decerto a criança já se separou da mãe ao nascer, ganhou independência ao andar e rompeu seu casulo familiar ao ir para a creche, mas é apenas no fim do Édipo que o menino e a menina vão perceber diferentemente os pais e amá-los de outra forma. Claro, é de uma separação ideal que lhes falo, uma vez que em nossa vida cotidiana continuamos sempre a desejar nossos pais, o mais freqüentemente sob a forma sublimada da ternura, e, outras vezes, infelizmente, sob a forma de um conflito penoso, devido à persistência de um desejo sempre virulento.

A propósito do menino, poderia voltar à expressão "Édipo invertido"?

O Édipo invertido é a atração sexual de uma criança pelo pai do mesmo sexo. Em relação ao Édipo masculino, colocamos geralmente a ênfase no apego erótico do menino com a mãe e na rivalidade odiosa a respeito do pai. Ora, muitas vezes acontece de o Édipo masculino girar não em torno da relação desejante do filho com sua mãe, mas da relação desejante do filho com *seu pai considerado um parceiro sexual*. Sim, o pai pode ser, na cabeça do filho, um parceiro sexual! E é isso que denominamos um "Édipo invertido". Em que consiste ele?

Para lhe responder, apresentarei o Édipo do menino como uma peça em três atos. É realmente divertido fazer o complexo edipiano viver dessa forma, marcados que somos pela tragédia grega. Tal artifício nos permitirá não apenas lembrar de outra maneira o essencial da dinâmica edipiana, como aprofundar a idéia de que o personagem principal do Édipo masculino é mais freqüentemente o pai que a mãe.

Vamos aos três atos do drama. Comecemos pelo **primeiro ato**, que inclui indiferentemente a menina e o menino. O pano se abre e todos os personagens aparecem ao mesmo tempo no palco: um garotinho, uma garotinha, uma mãe, um pai e, até mesmo, todos os seres humanos que habitam nosso planeta. Imaginem um palco cheio de gente, de um mundo em que todos, aos olhos das duas crianças, são detentores de uma potência representada por um sinal corporal visível: o pênis. Na cabeça da criança, menino ou menina, todo mundo possui um pênis, ou melhor, todo mundo é investido da potência representada pelo pênis. Freud chama essa abertura do Édipo de *premissa da possessão universal do Falo*. É o momento em que reina na criança a crença mágica em um universo inteiramente povoado por portadores de um pênis maravilhoso. Corrijo-me imediatamente e, em vez de usar a expressão "pênis maravilhoso", utilizo o termo "Falo".

Desculpe mas ainda não compreendi como se passa do pênis ao Falo. O que entende exatamente por Falo?

Falo é o nome que damos à fantasia do pênis, à interpretação subjetiva do pênis, à maneira que cada um e cada uma tem de perceber o apêndice peniano. Mais genericamente usamos a palavra "Falo" para designar a fantasia de todo objeto que se reveste, a nossos olhos de crianças, ainda que adultos, do mais alto valor afetivo. Quando digo "aos nossos olhos de crianças", é para fazê-los compreender que o amor apaixonado que dirigimos a uma criatura ou a um objeto é sempre um amor de criança, uma vez que amar é apenas um aprimoramento da candura infantil. Amar é acreditar em toda inocência – e essa inocência nos é preciosa – que o outro, nosso amado, saberá um dia nos completar. Pois bem, essa soberba esperança que é o amor me torna feliz, me dá tranqüilidade e força. Da mesma forma, todo objeto amado, admirado e possuído me tranqüiliza e me conforta em meu sentimento de ser eu mesmo. Ora, esse objeto tão investido, tão carregado de toda a minha afetividade e que me é indispensável, chama-se Falo. Assim, a palavra Falo designa não apenas o pênis quando fantasiado, isto é, quando vivido como símbolo da força, como também toda pessoa, objeto ou ideal a que sou visceralmente ligado, de que sou dependente e que sinto como a fonte de minha potência. Falo é, portanto, o nome que damos a qualquer coisa altamente investida, tão investida e amada que não cessa de ser concreta para ser fantasiada. Uma mãe, um pai, nosso cônjuge, o pênis, o clitóris ou mesmo uma casa, uma carreira, uma promoção – tudo são suportes concretos que podem se tornar o nosso Falo. Ora, qual é a coisa concreta que dá à criança edipiana o sentimento de ter um Falo? Respondo: seu corpo, seu próprio corpo, seu corpo de sensações. Com efeito, para o menino a base real do Falo é seu pequeno sexo enquanto apêndice erógeno, ou ainda as excitações que emanam dos testículos ou do baixo-ventre. Quanto à menina, a base real de seu Falo é o conjunto das sensações erógenas provenientes de seus órgãos genitais, em particular de seu clitóris.

Se o compreendo bem, uma mãe, por exemplo, pode ser, aos olhos do filho, tanto portadora de um Falo quanto ser ela própria um Falo?

Precisamente. Quando a mãe impõe sua autoridade, ela *tem* o Falo; mas quando a criança a sente toda dele, ela *é* seu Falo. Se minha mãe se zanga comigo, ela é fálica e todo-poderosa; se, em contrapartida, rivalizo com meu colega para saber quem tem a mamãe mais bonita, minha mãe é meu Falo mais precioso. Vocês vêem que uma mãe pode ser duplamente fantasiada como *tendo* o Falo e como *sendo* o Falo.

Um menino pode então ter dois Falos, seu pênis e sua mãe?

Claro! E será justamente o problema a ser resolvido pelo menino edipiano; não podendo manter os dois Falos, terá de escolher um ou outro: o pênis ou a mãe. Mas não antecipemos, pois essa escolha crucial só será feita no segundo ato do nosso drama edipiano. Por ora, permaneçamos no primeiro. Eu lhes dizia então que a criança acredita que todos os seres humanos são dotados do mesmo atributo que ela tanto valoriza: o Falo. Menino ou menina, a criança experimenta sensações erógenas, observa seu sexo, se toca, se acha todo-poderosa e olha em silêncio os personagens que a cercam atribuindo-lhes um sentimento similar de onipotência. É de fato na percepção de si mesmo que se forja, em silêncio, a crença mágica em um Falo universal. Ver, sentir e acreditar são portanto os três primeiros gestos mudos da criança edipiana. Em suma, meninos e meninas inauguram seu Édipo a partir da ilusão que eleva o Falo ou seu representante corporal, o pênis, ao nível de atributo universal. Eis o primeiro ato da nossa peça, em que todos são fortes. Ato essencial, mas freqüentemente esquecido na literatura analítica, ao passo que é o degrau obrigatório que dá acesso ao conceito de angústia de castração. Por quê? Porque é preciso em primeiro lugar acreditar que se é forte e rico para ver surgir o medo de ser despossuído.

Chegamos agora ao **segundo ato** do Édipo masculino; o Édipo da menina segue outro roteiro. É quando justificaremos nossa proposição segundo a qual *é o pai, e não a mãe, que é o personagem principal do Édipo do menino*. E eis o argumento. Sempre habitado pela ilusão de um Falo universal, o menino estabelece duas relações afetivas essenciais: uma relação de *desejo* com a mãe considerada objeto sexual e, principalmente, uma relação de *amor* com o pai tomado como modelo a ser imitado; o menininho faz assim do pai um ideal ao qual gostaria de se assemelhar. Em suma, o laço com a mãe – objeto sexual – não passa para o menino do apetite de um desejo, ao passo que seu laço com o pai – objeto ideal – repousa em um sentimento de amor. Essas duas moções, desejo pela mãe e amor pelo pai, diz-nos Freud, "aproximam-se uma da outra, acabam por se encontrar e é desse encontro de sentimentos que resulta o complexo de Édipo normal". Traduzo dizendo que, para um menino, o complexo de Édipo normal significa desejar a mãe e assemelhar-se ao pai.

Mas entremos agora no **terceiro ato**. De repente, o menininho sente-se incomodado pela presença imponente de um rival que lhe barra o caminho em direção à mãe. A criança vê-se então ameaçada por um concorrente mais forte que ela. Sob o efeito da angústia de ter perdido – angústia de castração –, o menininho vai finalmente renunciar ao desejo de possuir a mãe e de eliminar o pai. Que reviravolta cênica! Eis que se opera uma inversão inesperada da situação. Ameaçado de castração e sem objeto a almejar, o menino volta-se subitamente para o pai e se pergunta: "Mas por que não mudar de parceiro? Por que não ele? Em vez de saciar meu desejo de possuir uma mulher, pensa, poderia saciá-lo, com o mesmo prazer, deixando-me possuir por um homem forte e viril." Que aconteceu? Tudo estremeceu. De ideal que suscitava admiração e de rival que inspirava medo, o pai tornou-se uma criatura que excita o desejo do menino. Antes o pai era o que queríamos *ser*, um ideal; agora o pai é aquele que queríamos *ter* oferecendo-nos a ele. Com efeito, é muito freqüente um menino pequeno reagir à ameaça de castração de um pai excessivamente severo retraindo-se em uma posição feminina e colocando-se no lugar de uma mulher submissa, objeto do desejo paterno. Eis como concebo o *Édipo invertido*, expressão desgastada e raramente bem compreendida. O Édipo invertido, tão importante para compreendermos a origem da neurose masculina, consiste em uma reviravolta radical dos sentimentos do menino em relação ao pai: o pai – objeto admirado, odiado e temido – aparece aos olhos da criança como um possível parceiro sexual ao qual ele gostaria de se entregar. O desejo de possuir a mãe transformou-se em desejo de ser possuído pelo pai; e o desejo de afastar o pai transformou-se em desejo de o atrair para si. Eis a dupla inversão da configuração clássica do Édipo masculino. Assim, o pai apresenta-se aos olhos do menino sob quatro aspectos distintos: *amado* como um ideal, *odiado* e *temido* como um rival e *desejado* como um parceiro sexual, a quem se oferece. Dessas quatro moções – amor, ódio, medo e desejo pelo pai –, é sobretudo o desejo que eu queria enfatizar em razão de sua importância na formação da identidade do futuro rapaz. Mas atenção! Não é porque o menino deseja o pai que se tornará obrigatoriamente homossexual ou neurótico. Possivelmente, uma vez adulto, será arrebatado por uma estranha ternura e uma delicada sensibilidade, mas sem por isso sofrer de distúrbios neuróticos. Em suma, eis o essencial da minha proposição: a neurose masculina é em geral provocada por um Édipo invertido congelado em uma fantasia intrusiva; o problema do neurótico é sempre uma relação conflituosa com o genitor do mesmo sexo.

Um corolário, finalmente, para o Édipo do menino: os traços marcantes do pai – amado como ideal, odiado e temido como rival e desejado como objeto sexual – definirão o *supereu* normal do rapaz. Com efeito, o supereu é o resultado da incorporação no eu desses quatro rostos do pai. É graças a essa introjeção que a criança começa enfim a se separar de seu pai real, uma vez que o percebe diversamente; algo mudou na disposição interior do menino em relação ao pai. Ele se separa do pai real mas o preserva em seu eu sob a forma de um supereu ora estimulante para se atingir um ideal, ora cruel e temível para sancionar uma conduta, ora excitante para realizar um desejo, mas sempre mantendo a sensação de pudor necessária à vida em sociedade.

Mas como o senhor situa o complexo de castração nesse drama?
O complexo de castração situa-se precisamente no terceiro ato. Castração sempre quer dizer angústia, pois não há castração senão sob a ameaça angustiante que pesa sobre o sujeito. Se deixarmos de lado o caso do Édipo invertido e permanecermos na configuração edipiana clássica segundo a qual o filho deseja incestuosamente a mãe, podemos deduzir três causas que provocam a angústia de castração. Em primeiro lugar, simplesmente, a presença da pessoa do pai na realidade; trata-se, como vimos, de uma presença angustiante. Em seguida, a voz imperiosa do pai intimando o menino: "Você não pode... Você não tem o direito de perseverar em seu desejo!" Em outras palavras: "Você vai se haver comigo!" Observem que essa ameaça pode ser proferida pela mãe ou por uma tia, tanto faz, ela exprime invariavelmente uma lei social marcada pela autoridade paterna. Pouco importa a pessoa que evoca o interdito, o essencial reside no caráter paterno de uma lei incontestável. Vejam bem, é porque a lei é incontestável que é paterna. Com efeito, a lei do interdito do incesto e todas as leis em geral permanecem marcadas pelo sinete da autoridade paterna porque não são negociáveis. Portanto, é indiferente que a voz que evoca o interdito seja masculina ou feminina, o essencial é a firmeza do tom para dizê-lo. É preciso que a ameaça seja proferida por uma firme e calma autoridade que sabe julgar, condenar e punir: "Você não deve ir para cama com sua mãe e a tomar como objeto sexual, senão será punido!" Punido, como? "Punido com a castração do seu pênis, ou melhor, punido com a castração do que anima sua arrogância todo-poderosa." Enfim, a terceira causa de angús-

tia tampouco consiste em uma ameaça verbal proferida pela voz de um censor, mas em uma ameaça sugerida por ocasião de uma experiência visual. O menino – pois continuamos no Édipo masculino – descobre um dia no corpo nu da mãe ou de uma garotinha a sombra escura de uma ausência. Ao observar a falta de pênis na região pubiana, sente medo e se angustia. "Uma vez que ela não tem pênis, pensa, então não tem poder. Ora, se existe uma criatura sem pênis, isso significa que eu também corro o risco de ficar privado dele."

Em suma, esmagado pela presença imponente da pessoa do pai, ameaçado pela lei punitiva e chocado com a constatação visual de que existem seres castrados, o menino angustia-se, recalca seus desejos e fantasias incestuosas e modera seu prazer. Freqüentemente – é a tese do Édipo invertido – o menino angustiado refugia-se covardemente em uma posição de submissão feminina a respeito do pai, situação em que viverá uma nova angústia de castração despertada pelo risco de perder a *virilidade*. Enquanto no Édipo masculino, em que a mãe é o objeto incestuoso, a ameaça de castração incide sobre o Falo-pênis, no Édipo invertido, em que o pai é o objeto incestuoso, a ameaça de castração incide sobre o Falo-virilidade.

É a angústia que faz a criança recuar e se separar dos pais?

Exatamente. Voltemos ao caso da mãe. O garoto sente medo e se separa da mãe. Eis por que eu diria que sua angústia é uma angústia saudável, pois, graças a ela, a criança vê-se obrigada a se separar da criatura até então mais próxima, da qual devia necessariamente – segundo a ordem das coisas humanas – se afastar. Pela primeira vez na história da evolução de sua libido, a criança vê-se confrontada com a prova decisiva de uma escolha: "Ou você pára de desejar sua mãe ou perde a força!" É uma escolha crucial: "Ou escolho o objeto incestuoso ou me preservo narcisicamente. Ou conservo minha mãe ou conservo meu pênis. Claro, é meu pênis que vou conservar!" Observem que esse tipo de alternativa radical evoca as escolhas eminentes às quais somos freqüentemente confrontados em nossa vida de adultos. A partir do momento que queremos realizar nosso desejo, constatamos o surgimento da angústia. "Será que sou capaz disso? Não vou pôr tudo a perder?" No momento de decidir e agir, surge a angústia. Ora, de acordo com a experiência do Édipo tal como a interpreto, nós escolhemos sempre o objeto narcísico, isto é, escolhemos sempre nos preservar, a nós e a nosso corpo. Decididamente, o ser humano é essencialmente medroso e narcísico: diante do perigo, com freqüência deixa o objeto de seu desejo cair, julgando salvar a pele. Ouço aqui um hipotético supereu analítico que tranqüilizaria o homem trêmulo diante dos riscos inerentes à afirmação de seu desejo. Ele lhe diria: "Não tenha medo! Deixe-se carregar pelo desejo. Siga seu caminho. Vá aonde o destino o espera!"

Ocorre, porém, outro fenômeno notável. Uma outra perda terá lugar, perda muito mais importante que a da mãe. O menino pode perder a mãe e conservar o pênis, mas logo descobre que sem o objeto do desejo, a mãe, o pênis acaba por perder seu valor de Falo. "De que serve me sentir forte se não há um outro que me deseje?" Decerto o pênis é útil, mas sob a condição de que haja um outro desejante e desejável.

O menino perde a mãe e simultaneamente o valor fálico de seu pênis. No fundo, essa perda de valor é mil vezes mais importante que a perda da mãe, que já é, sem dúvida, uma experiência fundamental. Melhor ainda, o drama edipiano é a mais bela lição sobre o valor relativo de nossas árduas conquistas. O mito de Édipo é de um alcance ético extraordinário. Podem continuar me dizendo: "Mas o Édipo... o complexo de castração... de cem anos para cá as coisas evoluíram... a cultura, a sexualidade não são mais as mesmas... poderíamos muito bem viver sem o Édipo etc." Claro que quero prescindir da lenda edipiana, mas criem outra que consiga explicar tão bem o sentido profundo das provas vitais que nós, adultos, atravessamos incessantemente! A primeira prova é aceitar que, diante de uma escolha difícil, nunca perderei tudo, e, se ganhar, nunca ganharei sem perda.

O senhor acaba de nos mostrar como a peça se desenvolve para o menino; e para a menina?

O roteiro do Édipo feminino é bem diferente. Lembremos que, durante o primeiro ato do drama edipiano, reina, como para o menino, a premissa da possessão universal do Falo: todos são portadores do Falo e, por conseguinte, todos são fortes! Na menina, porém, diferentemente do menino, há uma pré-história do Édipo e uma espécie de "pós-história", ausentes do Édipo masculino. A pré-história do Édipo feminino associa-se à relação estreitíssima da mãe com a filha. Antes do advento da fase fálica, no momento de aleitamento no seio, a mãe apresenta-se à filha como objeto de desejo, mas sobretudo como objeto que abastece seu narcisismo e alimenta sua potência. Em uma palavra: a mãe desempenha função de Falo para a menina. Na aurora do Édipo feminino, o objeto do desejo da menina, assim como no caso do menino, é em primeiro lugar o seio e, logo depois, com o desmame, a pessoa da mãe; a zona erógena dominante é a boca. Durante a fase oral, o seio materno representa o mais terno Falo. Completemos acrescentando um outro elemento essencial do Édipo feminino. Com o desmame, a menina já sente um amargo ressentimento contra uma mãe que acaba de privá-la do prazer de mamar. A perda do seio suscita no bebê menina uma hostilidade que será reativada mais tarde, durante a fase fálica em si. Observemos que essa amargura provocada pelo desmame é, segundo Freud, mais moderada no menino. Mais tarde, o Falo da menina não será mais representado pela mãe como objeto incestuoso, mas pela força atribuída ao pai. O Édipo feminino culmina no momento em que a menina, já tendo feito a experiência da separação da mãe, está preparada para desejar o pai, renunciar-lhe, introjetar os traços de sua pessoa e seus valores, e, finalmente, substituí-lo, uma vez jovem mulher, por um parceiro masculino.

Por que afirmar que a filha odeia a mãe por ocasião do desmame? O que isso tem a ver com o complexo de castração na mulher?

Muitos mal-entendidos circulam sobre o conceito do complexo de castração na mulher. Julga-se equivocadamente que não há castração na mulher porque seu corpo é desprovido de pênis e que ela não teria nenhum órgão suscetível de ser castrado. Ora, não se trata disso. Segundo Freud, o complexo de castração na mulher existe efetivamente, mas prefiro, após ter estabelecido a lógica do Édipo feminino, dar-lhe o nome de *complexo de privação*. Esse complexo é inaugurado com uma impressão visual: a menina vê o corpo nu de um menino e constata, comparando-se com ele, que não apenas é desprovida de pênis, como desprovida da *potência* que o pênis significa, isto é, o Falo. A ausência de pênis a leva a perder a ilusão da premissa universal do Falo e sentir vontade de tê-lo. Ter o quê? Não tanto o pênis em si, mas a ilusão de potência suscitada pelo órgão. Chamo essa sede de poder de *inveja do Falo* e não inveja do pênis. Acredito profundamente no interesse clínico de apresentar dessa forma o conceito da inveja feminina do *Falo*, pois na clínica das mulheres histéricas é sempre o problema do poder que se coloca, bem como do medo neurótico de ser dominada. Com a constatação de ser despossuída, surge então na menina uma série de sentimentos. Em primeiro lugar, a desilusão, em seguida a nostalgia desse poder ilusório e, depois e sobretudo, um ressentimento a respeito da mãe que não lhe... a frase clássica seria "que não lhe deu", mas prefiro falar de ressentimento a respeito da mãe que não soube prepará-la para essa constatação nem lhe poupar o momento em que ela descobriria a perda de sua ilusão. É como se ela dissesse: "Mamãe, você já sabia que eu ia me decepcionar! Por que não me avisou?" É portanto um ressentimento a respeito da mãe, ressentimento que atualiza o antigo ódio provocado pelo desmame do primeiro período pré-edipiano.

Então não é a angústia que prevalece na menina?

Não! Nesses momentos, não observamos nenhuma angústia. Se os principais sentimentos do Édipo masculino são o desejo e a angústia, os do Édipo feminino são sobretudo o desejo, o sofrimento e a inveja. Contudo, reconhecemos uma angústia típica na mulher adulta. Trata-se de uma angústia bem particular, que Freud desvenda apenas no fim de sua obra. A angústia feminina é com freqüência esquecida nos trabalhos analíticos, pois tende-se a pensar que a angústia permanece o traço distintivo do menino, enquanto a menina seria afetada pela inveja ou o ódio. Na clínica, observamos muito uma angústia própria da mulher: a angústia de perder o amor que lhe dedica o amado. Em uma mulher, o medo não é tanto de nunca encontrar o amor, mas de perder o amor conquistado. Para a mulher, o Falo é o próprio amor, a coisa inestimável que nunca se deve perder!

4. O Édipo é a causa das neuroses ordinárias e mórbidas do homem e da mulher

A neurose ordinária resulta de um Édipo mal recalcado; a neurose mórbida, de um Édipo traumático

> Cada recém-chegado ao mundo está imbuído do dever de consumar o complexo de Édipo; quem não consegue está fadado à neurose.
>
> Na raiz de todo sintoma, encontramos impressões traumáticas que têm origem na vida sexual infantil.
>
> SIGMUND FREUD

Antes de tudo, o que é uma neurose? É um sofrimento psíquico provocado pela coexistência de sentimentos contraditórios de amor, ódio, medo e desejos incestuosos para com quem se ama e de quem se depende. Seguindo essa definição, diremos então que o Édipo não apenas está, como veremos, na origem das neuroses de adultos, como ele próprio é uma neurose, a primeira neurose saudável na vida de um indivíduo, a segunda sendo a crise da adolescência. Mas em que o Édipo é uma neurose? Tudo reside na defasagem entre um eu infantil em formação e um afluxo pulsional transbordante. O eu da criança ainda não dispõe de meios para conter a escalada impetuosa de seus desejos. Esse esforço do eu para conter e assimilar o arrebatamento do desejo traduz-se na criancinha por sentimentos, palavras e comportamentos contraditórios em relação aos pais. Essa atitude ambivalente, até mesmo incoerente da criança, vai instalar-se duradouramente na personalidade do sujeito como um modelo de todas as atitudes que ele adotará, adulto, diante daqueles que despertarem nele o desejo de possuir o outro, ser possuído por ele ou destruí-lo. Eis por que podemos dizer que nossos conflitos mais cotidianos e sempre inevitáveis com quem nos cerca não passam dos prolongamentos naturais, quase reflexos, de nossa neurose infantil conhecida como complexo de Édipo. Em outros termos, nossos conflitos cotidianos provêm do fato de que, no seio de nossos sentimentos mais nobres e mais castos a respeito daqueles que amamos, agitam-se desejos sexuais incestuosos. A crispação da nossa neurose atual é portanto provocada pela impossibilidade de realizar plenamente ou, ao contrário, evitar totalmente nossos impulsos incestuosos. Assim, diremos que o Édipo, primeira neurose saudável da vida, está na origem de nossa penosa neurose ordinária de adulto – neurose penosa decerto, mas, pesando tudo, tolerável e, por que não, uma defesa contra a loucura pulsional que sempre ameaça irromper em cada um de nós.

Isto posto, pode acontecer, e é freqüente, de durante o período edipiano a criança ser arrebatada por sensações de prazer ou dor muito intensas e que essas sensações a marquem para sempre como traumas indeléveis. Pois bem, esses traumas infantis serão a causa não de uma neurose ordinária, mas de uma neurose mórbida que se instala na adolescência e persiste na idade adulta. Em suma, distingo duas grandes variantes do retorno neurótico do Édipo na idade adulta: a neurose ordinária e a neurose mórbida. A neurose *ordinária*, portanto, consiste no conflito com as criaturas que amamos intimamente porque continuamos sempre a desejá-las com ardor. Essa neurose de todos os dias, perfeitamente compatível com uma vida social aberta e criativa, é resultado da dessexualização insuficiente dos pais edipianos. As fantasias infantis de prazer e angústia mal recalcadas preservaram toda sua virulência e geraram essa neurose cotidiana presente em todos nós.

O outro tipo de distúrbio neurótico é a neurose *mórbida e patológica*, que, ao contrário, manifesta-se por sintomas recorrentes que encerram o sujeito em uma solidão narcísica e doentia. Esse sofrimento, seja fóbico, obsessivo ou histérico, é provocado por um fator mais grave que o recalcamento insuficiente das fantasias edipianas. Trata-se dos traumas singulares advindos em pleno período do Édipo. Que traumas? Em primeiro lugar, o de um *abandono* real ou imaginário, que provoca imensa aflição na criança. Essa fantasia infantil de abandono resultará na *fobia* do adulto. Outro trauma possível é o dos maus-tratos, reais ou imaginários, que infligem uma dolorosa humilhação à criança. Essa fantasia de *maus-tratos* e de humilhação resultará na *obsessão*. Terceiro trauma, enfim, o mais espantoso, aquele em que a criança experimenta, durante um contato excessivamente sensual com o adulto de quem depende, um intenso e sufocante prazer. Essa fantasia de *sedução* resultará na *histeria*. Quer se trate da aflição do abandono, da humilhação por maus-tratos ou da sufocação ligada à sedução, estamos sempre na presença da angústia de castração sob a forma mais mórbida, que confina com um *terror de castração*. Diremos, portanto, que a fobia, a obsessão e a histeria são os diferentes modos de retorno do Édipo traumático à idade adulta. Acrescento que essas três categorias de neuroses nunca aparecem isoladas e puras, e sim imbricam-se à maneira de uma neurose mista de predominância fóbica, histérica ou obsessiva. Observemos também que esses traumas edipianos foram às vezes sofridos não pela própria criança, mas por um ascendente que lhe transmitiu inconscientemente a angústia de um choque traumático. Uma mulher sofrendo de agorafobia crônica, por exemplo, declara nunca ter sido abandonada em sua infância, mas descobre, ao longo da análise, que sua mãe fora, ainda pequena, vítima de um abandono brutal durante a guerra. Eis um caso de transmissão transgeracional de uma fantasia de abandono geradora de uma fobia.

Dizíamos então que a neurose patológica, tanto no homem quanto na mulher, é o retorno, na idade adulta, da angústia de castração traumatizante, vivida durante a infância. Segundo o modo de retorno dessa angústia surgirá um sofrimento neurótico específico (ver FIGURA 4, p.103). Clinicamente falando, se estivermos em presença de um paciente *fóbico*, deveremos interrogar sua infância para nela descobrir um eventual incidente em que ele teria ficado angustiado por um brutal abandono, seja este abandono real ou imaginário. Se nosso paciente for *histérico*, é outra recordação traumática que deveremos procurar. Dessa vez, o analisando lembra-se de ter se assustado não mais com um abandono, mas com outra violência bem mais sutil e insidiosa. Lembra-se de ter sido cativado e excitado por um adulto sedutor — pai, mãe, irmão mais velho ou amigo da família. A propósito desse trauma na origem da histeria, o leitor pode se reportar às páginas 118-20 e, em particular, à FIGURA 6. Enfim, se escutarmos um paciente *obsessivo*, será sempre uma recordação que deveremos descobrir, mas cuja cena mostra uma criança impotente e furiosa, temendo as represálias do pai por um erro que ignora. Em suma, quer se trate de fobia, histeria ou obsessão, o sofrimento de um neurótico é explicado por sua necessidade de repetir compulsivamente a mesma situação na qual sofreu o impacto de uma angústia traumática. Em outras palavras, a neurose é o retorno compulsivo de uma fantasia infantil de angústia de castração.

Assim, concluiremos que, no caso da neurose masculina, a *fobia* é o retorno, na idade adulta, da fantasia de angústia de ser *abandonado* pelo *pai repressor*; que a *histeria* é o retorno da fantasia de angústia de ser *assediado* pelo *pai sedutor*; e a *obsessão*, finalmente, é o retorno da fantasia de angústia de ser *maltratado* e *humilhado* pelo *pai rival* (FIGURA 4). Vemos claramente que é sempre o pai o personagem principal das fantasias traumáticas na origem das três neuroses masculinas. Com efeito, a neurose do homem e, como veremos, da mulher resultam da fixação de uma cena em que o personagem principal é freqüentemente o genitor do *mesmo* sexo. Seja o Édipo mal resolvido ou traumático, o conflito infantil, causa da neurose, é mais freqüentemente travado entre o menino e o pai ou entre a menina e a mãe. Em suma, o que gera a doença não é tanto viver uma experiência intensa com o outro diferente, mas vivê-la com o outro semelhante, o outro "si mesmo". A neurose do adulto é sempre uma patologia do mesmo, uma doença do narcisismo. Um jovem paciente, por exemplo, me contou:"Sofro por ficar dividido entre o amor pelo meu pai, a vontade de me parecer com ele, o desejo de agradá-lo, o medo de me tornar desprezível, o ódio que sinto por ele e, finalmente, minha revolta contra sua autoridade." Eis o grito de um filho neurótico que sofre por ficar fascinado e horrorizado com a imagem do pai tão próxima da sua.

★
★ ★

A reativação do Édipo traumático sob a forma da neurose feminina: repulsa sexual, complexo de masculinidade e angústia de ser abandonada

Passemos agora ao caso da mulher neurótica. Uma vez superada a crise edipiana, deveríamos concluir que a menina tornou-se uma criatura pacificada, sem sombra de uma neurose, ilesa das seqüelas do sofrimento passado e da inveja ciumenta? Claro que não. A vida de uma mulher permanece geralmente agitada pela persistência de antigos conflitos edipianos. Afirmo desde já que, de todas as paixões infantis que subsistem na vida de uma mulher, a mais perturbadora é, sem dúvida alguma, a inveja ciumenta do Falo. Quando vivida de forma excessivamente febril na infância, essa inveja infantil pode ressurgir violentamente na idade adulta, manifestando-se seja por uma repulsa sexual histérica, seja por uma atitude caracteriológica denominada "complexo de masculinidade". No caso da *histeria*, a mulher continua a achar, como uma menininha, que não é digna de interesse nem de amor e se resigna à sua sorte com amargor e tristeza. Instala-se então nessa mulher despeitada uma viva repulsa pela sexualidade, duplicada por uma grande solidão. No caso do *complexo de masculinidade*, ao contrário, a mulher substitui a crença de ser castrada e inferior pela crença oposta e igualmente infundada, ser munida do Falo. Em vez de se julgar castrada, julga-se onipotente; brande o Falo, exibe-o em uma atitude de desafio e acentua os traços masculinos a ponto de se tornar mais viril que o homem. Uma das variantes desse complexo de masculinidade assume a forma da homossexualidade manifesta. Observemos de passagem que a hipertrofia da masculinidade na mulher pode revelar-se, além disso, como uma das resistências mais tenazes ao trabalho terapêutico e tornar-se o rochedo contra o qual freqüentemente naufraga o tratamento analítico. A rivalidade odiosa dirigida ao homem pode transformar-se, na analisanda, em uma revolta contra a arbitrária autoridade masculina atribuída ao psicanalista.

Gostaria finalmente de acrescentar outra variante edipiana da neurose feminina, variante próxima da normalidade. Trata-se da angústia; de uma *angústia* propriamente feminina. Afirmei até aqui que a angústia prevalecia na posição masculina e que a dor de privação caracterizava, em contrapartida, a posição feminina. Entretanto, há uma angústia tipicamente feminina que considero um exemplo da angústia de castração, a saber, o medo na mulher de *ser abandonada* pelo homem amado. O desejo de ser amada e protegida é tão poderoso no inconsciente feminino que a jovem mulher, não obstante solidamente envolvida em sua relação, tem sempre medo de ser privada do amor de seu companheiro. Ao menor conflito, lança suspeitas sobre seu parceiro querer deixá-la. Criancinha, já fora enganada pela mãe, agora adulta desconfia dos homens. Teme perder a coisa que preza acima de tudo: o amor, a alegria de amar, ser amada e sentir-se protegida. Se, para o homem, o Falo é a força, para a mulher ele é a felicidade de ser amorosa e ser amada por aquele a quem ama. *Para o homem, o Falo é a força; para a mulher, é o amor.* Da mesma forma que havíamos dito que o homem era uma criatura preocupada em salvaguardar sua virilidade, diremos que a mulher vive na obsessão de ser abandonada. Assim, para a mulher angustiada, o amor permanece uma conquista frágil, a ser reconquistada incessantemente e sempre confirmada (ver FIGURA 5, p.105, e FIGURA 8, p.126-7).

Imagino agora o que seria a união do homem e da mulher neuróticos, um em posição masculina temendo que a mulher roube seu sexo (*angústia de castração*), o outro em posição feminina temendo que o homem a abandone (*angústia de ser abandonada*). Será a isso que se reduziria o par homem/ mulher, a um recrudescimento das angústias edipianas? O homem preocupado com a perda de sua virilidade e a mulher, com a perda do amor? Provavelmente não, pois cada um, por sua presença, demonstra ao outro que sua angústia não é justificada. O homem sinceramente envolvido em sua relação tranqüilizará sua companheira pela autenticidade de suas palavras e seus atos; e a mulher, igualmente engajada, saberá garantir ao companheiro que, apesar das provas difíceis, encontrará sempre junto a ela a confirmação de sua virilidade.

É assim que a relação entre um homem e uma mulher deveria poder se estabelecer. E, no entanto, a experiência nos ensina que, entre essa configuração ideal e o fracasso retumbante de um casal, todas as nuances são possíveis.

★
★ ★

Agora, vou lhes propor a vinheta clínica de uma paciente histérica que sofre de anorexia e cuja inveja inconsciente do Falo consome o corpo.

Como escutar uma anoréxica através da teoria do Édipo? Eis a minha hipótese: a anorexia resulta da identificação da jovem doente com seu irmão idealizado como filho predileto do pai.

Volto a pensar em Sarah, nossa paciente anoréxica de quem falei há pouco. Desafiando a razão, ela quer alcançar o limiar quase fatal dos 41 quilos. "O senhor verá, ela me diz bravamente, sou capaz de continuar a viver sem voltar para o hospital! É a minha aposta! Preciso provar a mim mesma que posso atravessar o abismo." Eis a loucura de Sarah! Um desafio insensato aos limites da vida e uma vontade cega de dominar e controlar o corpo. Ora, onde está aqui a presença do Édipo? De que forma a teoria do Édipo, tal como a concebo, nos permite compreender o sofrimento dessa jovem? Pois bem, quando recebo essa paciente, acho sempre que ela quer se tornar pura e leve até a transparência, apagando todas as curvas e arredondamentos femininos de seu corpo. Queria não ter mais seios nem nádegas, menos ainda barriga. Nenhum relevo. Nada que evocasse a mulher. Seu sonho: tornar-se um menino imberbe sem pênis nem sinal de virilidade. Esse ideal de homem assexuado, esguio e frágil que ela queria ser não é outro, em sua fantasia, senão o filho maravilhoso que seu pai sonha seduzir e possuir sexualmente. Sim, ela queria ser o jovem amante do pai, isto é, assumir o lugar de seu irmão adorado, predileto do pai. Sarah identifica-se assim com a masculinidade do irmão e se recusa a ser uma mulher porque acha, como uma menininha de quatro anos, que ser mulher equivale a ser castrada, fraca e desprezada por um pai que só teria olhos para o filho. Sarah parte do princípio – do falso princípio – de que a mulher é castrada e que, por conseguinte, deve fazer de tudo, até mesmo arriscar a vida, para mostrar a si mesma e ao mundo que é forte e que seu corpo pode ser moldado até atingir a silhueta de um efebo sem órgãos genitais. Nossa paciente está sob a influência da inveja do Falo, que traduzi aqui por sua inveja louca e ciumenta de ser ao mesmo tempo um menino com o desejo masculino de possuir e dominar e uma menina com o desejo feminino de ser possuída pelo pai. Sua anorexia é a expressão do compromisso entre esses dois impulsos inconscientes. Gostaria de dizê-lo de outra forma formulando minha hipótese segundo a qual *a anorexia é na maioria das vezes resultado de uma identificação inconsciente da adolescente com o irmão idealizado como o favorito do pai.* Naturalmente, nessa hipótese, pode tratar-se de um irmão virtual, de um *alter ego* masculino, uma vez que, evidentemente, nem todas as anoréxicas têm irmão.

Fantasia de angústia
de castração

A neurose é o ressurgimento compulsivo
da fantasia de angústia traumática
de castração na idade adulta

• Angústia de ser castrado *(abandonado)* pelo *pai repressor* →	*Neurose fóbica*
• Angústia de ser castrado *(assediado)* pelo *pai sedutor* →	*Neurose histérica*
• Angústia de ser castrado *(maltratado)* pelo *pai rival* →	*Neurose obsessiva*

FIGURA 4
A neurose mórbida no homem é o ressurgimento compulsivo do Édipo traumático na idade adulta.

Comentário da Figura 4

Duas considerações. A primeira diz respeito aos atores presentes. É indiferente que a criança angustiada seja um menino ou uma menina e que o adulto que ameace (repressor, sedutor ou rival) seja o pai, a mãe, o irmão mais velho, a irmã mais velha ou qualquer outro adulto tutelar. Entretanto, a fantasia de angústia de castração mais freqüentemente encontrada nos tratamentos analíticos dos homens neuróticos é a de uma cena em que a criança é um menino e o adulto, seu pai. No caso das mulheres neuróticas, encontramos o mesmo tipo de fantasia, em que a filha tem medo das represálias da mãe. Assim, o conteúdo dessas fantasias é freqüentemente uma cena em que a criança está às voltas com o genitor do mesmo sexo.

Gostaria de dar o exemplo de uma fobia. Penso no caso daquela mulher que tinha fobia dos transportes públicos, cuja análise revelou que a causa de sua neurose remontava a um acontecimento trágico de sua infância: a morte acidental da mãe. Em vez de viver o sofrimento do luto, como teria feito qualquer criança, ela fantasiou essa morte como um castigo inesperado infligido pela mãe amada e falecida. Foi então que sentiu a aflição de ser entregue a novos abandonos, aflição hoje conhecida como fobia dos espaços fechados.

A outra consideração diz respeito a uma leitura cruzada entre as duas colunas da tabela. É possível, por exemplo, que a angústia de ser abandonada pelo pai repressor reapareça sob a forma de uma neurose obsessiva e não mais fóbica, ou que a angústia de haver sido seduzido por um genitor excessivamente carinhoso esteja na origem de uma neurose fóbica, e não mais histérica.

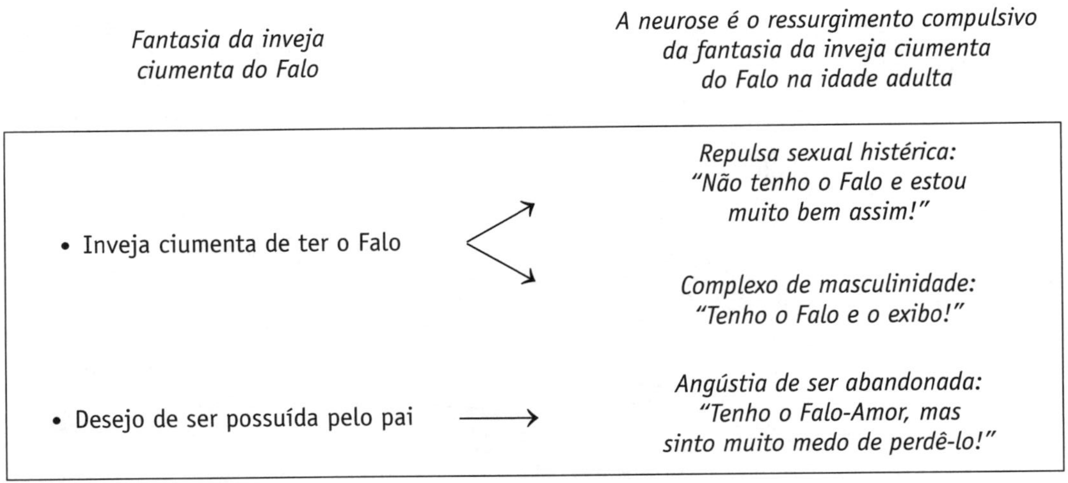

Fantasia da inveja ciumenta do Falo

A neurose é o ressurgimento compulsivo da fantasia da inveja ciumenta do Falo na idade adulta

- Inveja ciumenta de ter o Falo

Repulsa sexual histérica:
"Não tenho o Falo e estou muito bem assim!"

Complexo de masculinidade:
"Tenho o Falo e o exibo!"

- Desejo de ser possuída pelo pai ⟶

Angústia de ser abandonada:
"Tenho o Falo-Amor, mas sinto muito medo de perdê-lo!"

FIGURA 5
A neurose mórbida na mulher é o ressurgimento compulsivo do Édipo traumático na idade adulta.

5. *Arquipélago do Édipo*

- Não existe castração
- As figuras do pai no Édipo masculino
- As figuras da mãe no Édipo feminino
- As figuras do Falo no Édipo feminino
- O supereu e os três papéis do pai no Édipo masculino
- A brincadeira de boneca
- A fantasia da onipotência fálica
- A fobia é uma projeção; a histeria, uma rebelião; e a obsessão, um deslocamento
- A significação bissexual de um sintoma neurótico
- Que é histeria?
- A histeria sofrida por um adulto foi provocada por uma relação excessivamente sensual entre a criança que ele era e seus pais
- A mulher histérica e seu medo de amar
- As três figuras lacanianas do pai no Édipo: simbólico, real e imaginário
- Os três tipos de falta no Édipo: castração, privação e frustração. Uma leitura da tríade lacaniana
- Quadro comparativo entre as posições masculina e feminina

Não existe castração, há apenas ameaças de castração. Eis por que a castração não passa, no fundo, do nome de uma angústia, jamais de uma realidade.

Desde o início, empregamos constantemente a palavra *castração* sem havermos encontrado oportunidade de dissipar um possível mal-entendido quanto à sua significação. Comecemos por dizer bem secamente que, deixando de lado certos atos isolados de barbárie, a castração não existe e que ninguém foi castrado para ser punido! Decerto conhecemos todas as castrações ditas "químicas" destinadas a tratar como último recurso determinados doentes perversos, como estupradores ou pedófilos; e sabemos também que doentes de caráter psicótico podem se automutilar sexualmente ou castrar uma vítima. Mas afora essas aberrações psicopatológicas, insisto em dizer que a castração propriamente dita não existe. Se Freud serviu-se desse vocábulo tão sugestivo foi a fim de dramatizar, até mesmo histericizar, o perigo imaginário que ameaça todo homem e toda mulher desejantes, isto é, todo homem e toda mulher que buscam ardentemente o prazer corporal e mais além... a felicidade. Que perigo os ameaça? O perigo de perder sua vitalidade, sua vida, a fonte íntima de seu desejo. Em que consiste então a castração? Ela é acima de tudo a idéia de um perigo, o perigo imaginário inventado por um neurótico e que ele deve imperiosamente afastar. É ao querer salvaguardar seu ser vital e estar sempre de prontidão que o neurótico sofre por ser neurótico. Por conseguinte, é sempre o *medo* da castração, e nunca a castração em si, que está na origem dessa crispação que é o sofrimento neurótico. Cada sintoma neurótico, portanto, deve ser compreendido como uma defesa crispada contra um medo essencial: no homem, o medo de perder a potência; na mulher, o medo de perder o amor. Assim, o vocábulo "castração" é uma incomparável alegoria psicanalítica que simboliza a hipotética perda de um hipotético objeto supremo.

Com isso, compreendemos que, para Freud, cada um de nós é em última instância uma criança desejante e voraz, medrosa diante das conseqüências de sua avidez, guardião cioso de seu Falo e sentindo-se culpado de desejar. Voraz, medroso, ciumento e culpado – eis nosso retrato mais íntimo esboçado por Freud nas cores do Édipo.

As figuras do pai no Édipo masculino

- O pai é *amado* como um modelo *ideal*
- O pai é *temido* como *repressor* e *censor*
- O pai é *desejado* e *temido* como *sedutor*
- O pai é *odiado* e *temido* como um *rival*

O amor do menino pelo pai admirado já existia bem antes da entrada na crise edipiana. Os sentimentos de ternura e admiração filiais persistem ao longo de toda a travessia do Édipo e encontram os sentimentos opostos, que são o desejo, a angústia e o ódio. É justamente o vivido simultâneo de todos esses sentimentos contraditórios que divide a criança e fomenta sua neurose. O neurótico, seja criança ou adulto, é aquele que, ao mesmo tempo, ama, teme, deseja e odeia o pai.

As figuras da mãe no Édipo feminino

No Tempo *pré-edipiano*:
• A mãe todo-poderosa provida do Falo (mãe fálica) é **amada** como uma figura **ideal**.
• A mãe é **desejada** como um **objeto sexual** que a filha quer possuir. Para a criança, não apenas a mãe *tem* o Falo, como *é* o Falo.

No Tempo da *solidão*:
• A mãe é **culpada** pela filha por ter sido **incapaz** de dotá-la do Falo, símbolo da potência.
• A mãe é então **destituída** de sua onipotência e abandonada.

No Tempo do *Édipo*:
• A mãe, como mulher que **deseja** um homem, é um modelo de identificação.
• A mulher é novamente **amada**, mas dessa vez como um **ideal feminino**.
• A mãe é **odiada** como uma **rival**.

As figuras do Falo no Édipo feminino

Aos olhos da menina, o Falo reveste-se de diferentes formas ao longo das sucessivas fases de seu Édipo:

- No Tempo *pré-edipiano*, a menina reconhece o Falo em suas sensações clitoridianas e na pessoa de sua mãe, considerada o objeto eleito de seu desejo. O Falo é portanto encarnado pelo *clitóris* como órgão de sensações erógenas e pela *mãe* como objeto do desejo incestuoso.

- No Tempo da *solidão*, ela reconhece o Falo no pênis fascinante do menino e, consciente de sua privação, reconhece-o também, dolorosamente, na auto-imagem ferida. O Falo é então encarnado pelo *pênis* invejado do menino e pela *imagem de si*.

- No Tempo *do Édipo*, o Falo é encarnado pela *força* do pai, que a menina cobiça, e, mais tarde, depois da primeira recusa paterna, pelo *ela-mesma* como objeto que se oferece ao desejo do pai. Finalmente, após a segunda recusa paterna, o Falo é, para a filha, seu *pai* introjetado.

- Superado seu Édipo, a menina, agora mulher, reconhecerá o Falo no *pênis* ereto do homem amado, no *amor* que este homem lhe dirige e, finalmente, na *criança* fruto desse amor.

As sensações erógenas, a mãe, o pênis do menino, a imagem de si, a força do pai, o si mesmo, a pessoa do pai, o pênis ereto do homem amado, o amor e depois a criança – eis todos os avatares do Falo no Édipo feminino. Cada um desses avatares corresponde exatamente à definição do Falo como sendo não apenas a coisa mais inestimável, mas o regulador vital e insubstituível do nosso equilíbrio psíquico.

O supereu e os três papéis do pai no Édipo masculino

O supereu, essa parte autocrítica de mim mesmo, essa parte do eu censor do eu, é uma instância que faz reviver no psiquismo as três atitudes contraditórias do pai fantasiado. Assim, o supereu é um coro de três vozes: a voz severa do interdito presentificado pelo *pai repressor*, a voz cativante da tentação presentificada pelo *pai sedutor*, e a voz denegridora da autocrítica presentificada pelo pai *odioso e rival*.

A brincadeira de boneca

A menininha edipiana faz a boneca desempenhar dois papéis distintos. No Tempo pré-edipiano, ela repete com a boneca a relação com a mãe: identifica-se com a boneca e, simultaneamente, identifica-se com a mãe, acariciando-a. Uma vez no Édipo propriamente dito, a menina muda de papel: agora ela é a mãe e sua boneca é o filho maravilhoso que o pai lhe deu.

A fantasia da onipotência fálica

No espírito das crianças edipianas, aqueles que detêm o Falo são criaturas fortes e os que não o detêm, fracas. Com toda a evidência, tal ficção, que considera pênis sinônimo de potência e falta de pênis sinônimo de fraqueza, é um mangá imaginado por crianças de quatro anos e de forma alguma um pensamento de adulto. Contudo, essa ficção infantil pode persistir na idade madura como uma miragem que torna conflituosa a relação do neurótico com seus próximos e consigo mesmo. Assim, o neurótico percebe aqueles que contam para ele segundo sua visão maniqueísta de fortes e fracos, dominantes e dominados.

A fobia é uma projeção; a histeria, uma rebelião; e a obsessão, um deslocamento

Agora mudemos de perspectiva e expliquemos a presença do Édipo nas três neuroses apoiando-nos na metapsicologia. Assim, diremos que a **fobia** resulta da **projeção** da angústia de castração sobre o mundo exterior. A angústia inconsciente torna-se medo consciente; o perigo interior, representado pelo pai repressor, é projetado para fora para se tornar um perigo exterior encarnado, por exemplo, pelos animais. Freud forneceu uma eloqüente demonstração disso em seu célebre caso do *Pequeno Hans*. O cavalo assustador é o pai, e o medo dos cavalos traduz o medo de ser mutilado e abandonado pelo pai. Em resumo, a fobia pode ser definida como a projeção para fora de um perigo interno tornado assim um perigo externo; como a substituição do pai ameaçador da fantasia por um animal assustador na realidade, e como a transformação, enfim, de uma angústia inconsciente em um medo consciente.

Deixando de lado a **histeria de conversão** – que resulta da concentração de toda a carga de angústia inconsciente no corpo, provocando assim uma disfunção somática (enxaqueca, vertigens, dores etc.) –, identifico outra forma de histeria muito mais insidiosa e muito freqüente que qualifico como **histeria de rebelião**. Essa neurose é ocasionada pelo retorno, na idade adulta, da angústia infantil de ser seduzido por um dos genitores, em particular o do mesmo sexo. Entre as fantasias infantis de angústia, a mais patogênica é a de uma cena em que o menino, seduzido mas igualmente assustado, desempenha o papel de uma mulher possuída pelo pai. Se tal fantasia persiste ativa no inconsciente do homem histérico, ela se exteriorizará então por um comportamento reativo de revolta permanente. Por exemplo, assim que se vê em uma relação normal de dependência em relação a um outro admirado ou a uma autoridade, o histérico sente-se oprimido, submisso e, a rigor – sempre segundo suas fantasias –, rebaixado ao nível de uma mulherzinha castrada e tiranizada. Ser dependente significa para ele "ser uma mulher", pois a mulher em sua fantasia é uma criatura fraca, inferior ao homem e, em todo caso, dispensável. Assim, depender de uma autoridade será vivido pelo neurótico como a pior das submissões e, conseqüentemente, será tomado pela mais urgente necessidade de se rebelar e proteger seu amor-próprio. É então que a pessoa que encarna a autoridade torna-se, a seus olhos, um déspota a ser abatido.

Quando um paciente adota tal posição histérica, é extremamente difícil para nós, analistas, revelar ao analisando sua fantasia de sedução inconsciente e, sobretudo, diluí-la. Por quê? Porque o psicanalista, a exemplo do pai, torna-se para esse paciente um temível sedutor e, logo, uma autoridade a ser destituída. Se essa figura transferencial prevalece, o tratamento corre o risco de ser brutalmente interrompido. A fantasia infantil de sedução pode invadir de tal forma a relação analítica que qualquer intervenção do terapeuta será sistematicamente interpretada pelo analisando como um intolerável abuso de poder. Freud, o primeiro, naufragou nesse destroço insuperável que qualificou como "rochedo da castração". Eu diria "rochedo da *angústia* de castração", uma vez que o que alimenta a rebelião veemente do neurótico contra o psicanalista não é outra coisa senão a angústia de ser escravo do pai e perder sua dignidade de homem. Ao se revoltar, o histérico julga salvar seu Falo, que ele nunca teve, das mãos de um tirano que o analista nunca foi.

Acrescentemos de passagem que podemos sofrer o mesmo fracasso no tratamento de uma mulher quando a analisanda, amargurada, recrimina seu psicanalista por sua arrogância e machismo. Esse gênero de reação provém de uma inveja ciumenta a respeito do terapeuta, que ela supõe portador do Falo, isto é, poderoso, sempre feliz, amado e admirado por todos. Despeitada e furiosa, ela também gostaria de ser dotada da mesma força mágica que ele, até quem sabe maior, percebê-lo fraco e se tornar seu único recurso. Ao passo que o homem interrompe o tratamento com medo de ser uma mulherzinha, a mulher, por sua vez, pára por raiva e despeito. Assim como o rochedo da castração no homem é marcado pela angústia, o da mulher é marcado pela inveja ciumenta. Em ambos os casos, **homem e mulher neuróticos têm uma imagem subestimada da mulher e uma imagem superestimada do Falo.** O homem neurótico não compreende que o Falo por ele salvaguardado tão ciosamente é um objeto inexistente e que, portanto, ele não corre risco algum de perder algo que não existe; não tem razão para ter medo, uma vez que nenhum perigo o ameaça. A mulher neurótica tampouco compreende que o Falo é um embuste e que ela não tem razão alguma para disputar com o homem um objeto que ele não tem.

A *obsessão* resulta do *deslocamento* da angústia de castração, que passa do inconsciente para a consciência e se cristaliza como um sentimento de culpa. A angústia inconsciente de ser espancado pelo pai rival transforma-se em angústia de ser punido pelo próprio superego. Essa angústia de se sentir em erro e passível de castigo chama-se sentimento de culpa. Acontece muitas vezes de o obsessivo comprazer-se em seu papel de culpado e ter necessidade de ser punido, exaurindo-se em um gozo estéril conhecido como "masoquismo moral".

A significação bissexual de um sintoma neurótico

Diante de um sintoma neurótico, o psicanalista busca trazer à tona a cena fantasiada forjada na infância edipiana e que governa a neurose de hoje. Nesse quadro, o sujeito desempenha um papel duplo, ativo e passivo, ou, para ser mais preciso, encena um conflito entre dois personagens que ele representa: um personagem dominador mais masculino e outro dominado, mais feminino. Assim, quando você está confrontado com um paciente que sofre de uma fobia de avião, por exemplo, lembre-se de que a cena fantasiada que fomenta a angústia é representada por um pai opressor – o espaço do avião – e por um filho ameaçado – o próprio fóbico. Assinalo ainda que, na fantasia, o sujeito interpreta os dois papéis simultaneamente: é tanto o carrasco viril quanto a vítima efeminada, tanto o pai opressor quanto a criança impotente. Naturalmente, é sobretudo nesse último papel que o neurótico se compraz.

Que é histeria?

Eu disse que o Édipo é um excesso: um desejo sexual, evocador do desejo sexual adulto, vivido na cabecinha e no pequeno corpo de uma criança de quatro anos e cujo objeto são os pais. Inversamente, direi que a **histeria** é um desejo sexual *infantil* vivido na cabeça de um *adulto* e cujo objeto não é um homem ou uma mulher, mas uma criatura forte ou fraca. O histérico vive seu parceiro não como um homem ou uma mulher, mas como uma criatura castrada e onipotente.

A histeria sofrida por um adulto foi provocada por uma relação excessivamente sensual entre a criança que ele era e seus pais

Eis o que nos ensina o Édipo: a histeria sofrida por um adulto foi provocada outrora por um violento abalo ocorrido em sua sexualidade de criança. Com efeito, é um distúrbio da vida sexual infantil que está na origem dos tormentos neuróticos atuais. Que distúrbio? O que aconteceu na pequena infância edipiana para que uma neurose se instalasse na idade adulta? Pois bem, deu-se uma derrapagem; sim, a criança edipiana sofreu por ter sido submergida por um prazer erógeno intenso demais que se apoderou dela. Seu eu, ainda inexperiente, não soube conter a impetuosidade de um desejo enlouquecido e assimilar o prazer transbordante daí resultante. "Desejo ou prazer?", vocês me perguntarão. Isso é totalmente equivalente, como vimos, sensações, desejo, fantasias e prazer são vividos pela criança como uma única e mesma coisa; somos nós quem separamos seus elementos. Dito isto, quando o prazer erógeno é excessivo, o eu infantil fica traumatizado. Em outras palavras, e esta será a grande lição clínica do Édipo, quando o eu da criança é incapaz de assimilar um impacto tão forte de prazer sexual, fica desamparado e condenado a reviver o mesmo trauma mil e uma vezes. Gostaria de insistir mais, tão espantoso é esse fenômeno: é o prazer, e não o sofrimento como poderíamos acreditar, que faz a criança edipiana, futura histérica, sofrer. Não apenas o sofrimento é traumático, um prazer sexual excessivo também pode sê-lo.

É então que a defasagem traumatizante entre um eu imaturo e um prazer intenso e precoce fica gravada na cera do inconsciente infantil. Qual uma placa sensível, o inconsciente guarda na memória o choque brutal do prazer erógeno e seu contexto, isto é, a presença sexual e desejante do adulto. Não existe prazer sexual traumático que não seja desencadeado pela excitação, inocente ou não, proveniente de um dos pais. É assim que se molda, no inconsciente virginal da criança, o protótipo de uma cena fantasiada em que ela se vê seduzida por um dos pais. Muito mais tarde, adulto, o sujeito experimenta – e eis a neurose – a necessidade compulsiva de reviver a mesma sensação desse prazer que causa mal e representar novamente a mesma cena traumática, incluindo dessa vez não mais seus pais, mas os parceiros de seu círculo atual. É preciso dizer com clareza: *a experiência traumática de viver sensações sexuais fortes demais pode estar, para uma criança, na origem de uma futura neurose*. Para concluir, gostaria de esquematizar a seqüência da formação de uma neurose. Temos um preâmbulo e três tempos. O preâmbulo é a imaturidade da criança, o anacronismo de um prazer sexual intenso demais para uma criaturazinha de quatro anos. É então que o *trauma* (*1º tempo*) *fixa-se* em uma cena fantasiada de prazer e dor (*2º tempo*). Essa cena, que eterniza o trauma, é *representada* incessantemente pelo sujeito em sua vida adulta (*3º tempo*). Eis a neurose!

| NEUROSE DO ADULTO (COMPULSÃO DE REPETIÇÃO) | Adulto, o sujeito sente a necessidade compulsiva de reviver a mesma sensação desse prazer que causa mal e voltar a representar a mesma cena traumática, incluindo dessa vez não mais seus pais, mas os parceiros de seu círculo atual. |

⬆ ⬆

| FIXAÇÃO DO TRAUMA EM UMA CENA FANTASIADA QUE SE TORNA PATOGÊNICA | Qual uma placa sensível, o inconsciente da criança registra o impacto brutal do prazer erógeno, associado à presença sensual do adulto. É então que se imprime, no inconsciente, o clichê de uma cena fantasiada de sedução por um dos pais. |

⬆

| TRAUMA PSÍQUICO |

⬆

| PRAZER SEXUAL TRAUMATIZANTE NA CRIANÇA EDIPIANA | **DEFASAGEM ENTRE O PRAZER SEXUAL E O EU INFANTIL**
De um lado, um prazer erógeno intenso, fulgurante, desencadeado na criança por um adulto em estado de desejo e de quem a criança depende; do outro, um eu infantil siderado e incapaz de integrar mentalmente esse prazer transbordante. É um problema de excesso e de defasagem temporal: o prazer é forte demais e chega cedo demais. |

FIGURA 6
A histeria sofrida por um adulto foi provocada por uma relação sensual demais entre a criança que ele era e seus pais. O vivido prematuro de um prazer erógeno pode ser, para a criança, tão traumático quanto uma dor.

A mulher histérica e seu medo de amar

A cena fantasiada na qual a criança se vê atraída, depois excitada e finalmente assediada por um adulto sedutor constitui uma das fantasias mais freqüentemente encontradas no tratamento dos pacientes histéricos, homens e mulheres. No que se refere à mulher, a fantasia de sedução é freqüentemente a causa das dificuldades de sua vida amorosa. Ela deseja ser amada por um homem e, ao mesmo tempo, teme que ele a sufoque ou, ao contrário, que a abandone. Para uma histérica, qualquer pretendente é percebido através da neblina deformadora de uma fantasia infantil de sedução: "São todos iguais! Conversa fiada! Quando ele tiver o que quer, vai me abandonar!" A angústia infantil de ser submetida ao pai transformou-se, na histérica, em uma rebelião contra qualquer homem de quem ela poderia depender; e a angústia de ser abandonada transformou-se em fobia de amar.

As três figuras lacanianas do pai no Édipo: simbólico, real e imaginário

Segundo minha leitura, Lacan decompõe o processo do Édipo de acordo com um critério importante: os diferentes papéis que a criança faz o pai representar nas fantasias edipianas. Durante o primeiro tempo do Édipo, o pai não é encarnado; é a figura abstrata da Lei que preserva o mundo do caos que teria provocado se porventura o incesto fosse cometido. Esse pai eminentemente abstrato, muralha contra a loucura dos homens e representado pela linguagem humana, chama-se *pai simbólico*. Nesse primeiro tempo, o pai é a Lei tácita, ignorada pela criança. Sem contenção e sem temor, a criança seduz impudentemente a mãe e se oferece a ela como seu Falo. No segundo tempo, é o personagem real do pai que conta. O pai é aqui o *pai real*, agente separador que dissocia mãe e filho ao proibir a um de considerar o outro como objeto de seu desejo. É então, terceiro tempo, que a criança confronta-se com o pai separador e frustrador, respeitando-o como todo-poderoso, odiando-o como rival e invejando-o como detentor do Falo, isto é, como o único possuidor da mãe, de todas as mulheres e do poder. Esse pai respeitado, odiado e invejado é o *pai imaginário*. É a ele que a criança pedirá em vão o Falo. Naturalmente, o pai recusa, e essa recusa logo acarreta a identificação do filho com o pai, síntese então das três figuras paternas: simbólica, real e imaginária. Uma vez que a criança não pode ter o objeto, identifica-se com o detentor do objeto.

Em suma, a criança edipiana faz a experiência de encontrar três personagens paternos. Em primeiro lugar, o pai é o âmbito da Lei que rege a sociedade na qual ela nasceu; em seguida, o pai é o policial que faz essa Lei ser respeitada; finalmente, o pai é também o policial, mas, dessa vez, temido como autoridade, contestado como poder e invejado como detentor da onipotência. É como se, no primeiro tempo desse teatro de marionetes que é o Édipo, o garotinho, insolente, tentasse perverter a mãe sussurrando-lhe: "Abrace-me! Não tem ninguém olhando!" E, no segundo quadro, víssemos repentinamente o policial sair de sua cabine e berrar: "O que você dois estão fazendo aí? Parem imediatamente!" E, enfim, no terceiro tempo, o menino, envergonhado e fascinado, perguntasse respeitosamente ao representante da ordem se podia lhe emprestar seu cassetete para se tornar um dia tão forte quanto ele. Diante da recusa deste último, o menino inclina-se, incorpora a figura da autoridade e, ao se desdobrar, torna-se ora o rebelde, ora o policial que reprime o rebelde. Doravante, essa cenazinha de dois personagens, um que transgride e outro que sanciona, dominará toda a vida afetiva, atos e situações cruciais que pontuam a existência de um sujeito. Em suma, a travessia do Édipo pode ser lida como o encontro de uma criança com as três figuras do pai – simbólico, real e imaginário: um pai que representa a *Lei*, outro que a faz ser respeitada e, finalmente, aquele, invejado e contestado, que detém o *Poder*. Eis as três figuras paternas introjetadas que, conjugadas, formarão o supereu do menino.

DESEJO INCESTUOSO	FALO: OBJETO PRECIOSO	TIPO DE FALTA	AGENTE DA FALTA	VIVIDO DA FALTA
DESEJO EDIPIANO DO MENINO DE **POSSUIR A MÃE**	Tenho medo de perder... um objeto que julgo ter: o **Falo imaginário**	A falta é uma idéia: a **castração** é **simbólica**	O agente da castração é o **pai, repressor, sedutor e rival**	**Angústia** de perder meu Falo-pênis, meu Falo-virilidade ou meu Falo-potência
DESEJO PRÉ-EDIPIANO DA MENINA DE **POSSUIR A MÃE**	Perdi... um objeto que julgava ter: o **Falo simbólico**	A falta é um fato: a **privação** é **real**	O agente da privação é a **mãe vacilante**	**Dor** de privação
DESEJO EDIPIANO DA MENINA DE **SER POSSUÍDA PELO PAI**	Quero ser... o objeto precioso do meu pai: o **Falo real**	A falta é uma decepção: a **frustração** é **imaginária**	O agente da frustração é o **pai** que se recusa a considerar a filha como Falo	A menina não se resigna, **luta** para se tornar mulher e mãe

FIGURA 7
Os três tipos de falta no Édipo: castração, privação e frustração. Uma leitura da tríade lacaniana.

Comentário sobre o quadro dos três tipos de falta no Édipo

A castração é uma idéia; a privação, um fato; e a frustração, uma demanda recusada. Para o menino, a castração é uma idéia angustiante, a idéia de que o essencial pode lhe faltar; ao passo que, para a menina, a privação é uma constatação dolorosa, constatação de que lhe falta o essencial que ela julgava ter. Quanto à frustração, é para a menina a decepção que sucede a recusa do pai em tomá-la como Falo. Decepcionada, ela não obstante luta para obter os dois Falos importantes na vida de uma mulher: o amor e a criança concebida com o homem amado.

Na experiência do Édipo, a criança sente pela primeira vez os desejos que estão na base de sua futura identidade sexual: o desejo masculino de possuir e o desejo feminino de ser possuída. Eis um quadro comparativo entre as posições masculina e feminina. Naturalmente, essas duas posições podem ser ocupadas indiferentemente por um homem ou uma mulher. Existem inúmeras mulheres que desejam segundo o tipo masculino e inúmeros homem que desejam segundo o tipo feminino. "Masculino" e "feminino" são palavras que designam posições psíquicas dominantes; é impossível – e está muito bem assim – definir psicanaliticamente o retrato-tipo do homem e da mulher, tão infinitas são suas singularidades.

DOMÍNIOS	POSIÇÃO MASCULINA	POSIÇÃO FEMININA
Desejo edipiano	Desejo de possuir	Desejo de ser possuída
Sexualidade	• O homem é sexualmente hiperativo, tem orgulho de seu sexo e deseja fazer a mulher gozar. • Num tropismo *centrífugo*, o homem quer proteger, conter e *penetrar* a mulher amada. • O homem pode amar uma mulher e, sem renunciar a esse amor, desejar outra. Amor e sexo são dissociados.	• Ao contrário do homem, a mulher é particularmente sensível à *qualidade* da relação sexual. • Num tropismo *centrípeto*, a mulher quer ser protegida, contida e *receber* o sexo do homem amado. Oferecer-se, para uma mulher, não quer dizer ser passiva nem submissa. • A sensibilidade erógena é mais rica e diversa na mulher que no homem, que permanece polarizado em torno de seu pênis. • A mulher integral ama o homem que a satisfaz sexualmente. Amor e sexo são indissociáveis.
Comportamento em relação ao parceiro amoroso	• O homem prefere amar que ser amado. • Ele idealiza a mulher amada e apaga-se diante dela. Humildade do homem amoroso.	• A mulher prefere ser amada pelo homem que ela ama. Precisa ser permanentemente tranquilizada.

Narcisismo	• Narcisismo de fazer bem prevalece sobre ser bonito. Para um homem, é mais importante ser forte que belo.	• Narcisismo de se sentir bela maior que de se mostrar bela. Para uma mulher, é mais importante ser indispensável que poderosa. Ela quer ser a única.
Potência/impotência	• A alternativa de ser forte ou fraco é o problema vital de um homem.	• Ser forte ou fraca não é seu problema; o desafio da mulher é ser amada e não ser abandonada.
Determinação e coragem	• O homem, covarde por essência, demora a se comprometer, avalia os riscos, hesita e recua diante do ato.	• Uma vez resolvida a se comprometer, a mulher dá provas de coragem e de inabalável determinação.
Atitude social	• O homem tende a exibir sua potência.	• A mulher prefere ignorar sua potência e ocupar-se de seu ressentimento íntimo.
Vontade	• Grande vontade, previsão e perseverança na ação.	• Obsessão de conquistar o amor e proteger o filho.
Por que as posições masculinas e femininas são diferentes?	• O homem é dotado de um apêndice destacável, o pênis, que simboliza tudo o que ele tem medo de perder: a potência e a virilidade. O medo de perder a força está tão instalado no espírito do homem que qualquer ato é um risco para ele e qualquer fracasso, uma humilhação. • Os perigos supremos para um homem são a mulher vingativa e o pai admirado.	• Em seu imaginário, a mulher não possui apêndice nem para manipular, nem para salvaguardar, mas um objeto invisível, que é preciso preservar, seu tesouro mais caro: amar e ser amada. Ela nada tem a perder, exceto o amor. Ora, o amor, para ela, é uma conquista permanente, um patrimônio a ser incessantemente reconquistado. Portanto, ela não tem pertences a defender. Toda ação, até mesmo a que põe sua vida em jogo, é uma ação que decerto lhe provoca medo, mas que ela aborda com muito mais segurança que o homem. Ela sabe o que o homem esquece: as aquisições definitivas não existem.

FIGURA 8
Quadro comparativo entre as posições masculina e feminina

6. Excertos das obras de Freud e Lacan sobre o Édipo, precedidos de nossos comentários

Os subtítulos e os trechos em destaque que apresentam os excertos de Freud e Lacan são de autoria de J.-D.Nasio.

FREUD

A universalidade do complexo de Édipo

Todas as crianças, sejam quais forem suas condições familiares e socioculturais, vivem essa fantasia universal que é o complexo de Édipo. Seja abandonada, órfã ou adotada pela sociedade, nenhuma criança escapa ao Édipo! Por quê? Porque nenhuma criança escapa à torrente das pulsões nela desencadeadas entre os três ou quatro anos de idade, e porque nenhum adulto de seu círculo imediato consegue evitar desempenhar o papel de alvo das pulsões e de canal para drená-las.

"É uma situação que toda criança é chamada a viver e que resulta inevitavelmente de sua longa dependência e de sua vida na casa dos pais, quero falar do complexo de Édipo, assim denominado porque seu conteúdo essencial está na lenda grega do rei Édipo. ... O herói grego mata o pai e casa-se com a mãe ... sem saber ..."[1]

"O menino aqui tem um esquema filogenético a realizar e o consegue, ainda que as experiências de vida pessoal possam não coincidir com ele."[2]

"[Os] esquemas filogenéticos que a criança carrega ao nascer ... são precipitados da história da civilização humana. O complexo de Édipo ... é um deles."[3]

"... ela se viu sob a dominação do complexo de Édipo, mesmo sem saber que essa fantasia universal, em seu caso, tornara-se realidade."[4]

A descoberta do complexo de Édipo

É a partir das recordações de infância de caráter sexual, evocadas por nossos pacientes adultos, que deduzimos a existência do complexo de Édipo. Não nos esqueçamos de que a recordação é sempre uma reinterpretação muito subjetiva do passado.

"As surpreendentes descobertas sobre a sexualidade da criança [complexo de Édipo] foram a princípio proporcionadas pela análise de adultos ..."[5]

"Foi por trás dessas fantasias [evocadas por pacientes adultos] que surgiu então o material que permitiu fazer a descrição do desenvolvimento da função sexual [fases libidinais da infância]."[6]

O Édipo foi descoberto por Freud a partir do relato de cenas de sedução que seus pacientes adultos acreditavam ter vivido na infância

O complexo de Édipo não é uma realidade observável, mas uma fantasia sexual forjada pela criança sob a pressão de seu desejo incestuoso. O conteúdo dessa fantasia é freqüentemente uma cena de sedução sexual exercida pelo adulto. Observemos ainda que a fantasia edipiana, embora criada na infância e sempre em ação no adulto neurótico, deverá ser reconstruída pelo analista ao longo do tratamento. Este a reconstrói "no calor da hora", uma vez que a relação analista/paciente reproduz em ato a relação edipiana.

"... fui obrigado a reconhecer que as cenas de sedução jamais haviam acontecido e que não passavam de fantasias forjadas por meus pacientes."[7]

A recordação de ter sido seduzido sexualmente pelo pai é uma das formas pelas quais o complexo de Édipo pode ser apresentado. A fantasia de sedução não é senão uma variante da fantasia edipiana. Basta um gesto excessivamente carinhoso da parte de um genitor (em geral o pai) para que a criança forje a recordação de um gesto equívoco de sedução sexual.

"Diante das cenas de sedução ... forjadas por meus pacientes ..., vi-me confrontado pela primeira vez ao *complexo de Édipo* ..."[8]

O desejo incestuoso está na origem de todos os desejos humanos

O desejo incestuoso não só é irrealizável, como inconcebível por uma criança de quatro anos. Entretanto, é esse desejo mítico, além e aquém de toda genitalidade, que nós, analistas, supomos na origem de todos os desejos e fantasias humanos.

"O desejo de ter um filho com a mãe nunca falta no menino, o desejo de ter um filho do pai é constante na menina, e isso quando são totalmente incapazes de fazer uma idéia clara do caminho que pode levar à realização desses desejos."[9]

O desejo incestuoso é parcialmente satisfeito em uma fantasia

Ser espancado pelo pai é uma fantasia que satisfaz parcialmente o desejo incestuoso de um menino de ser possuído sexualmente pelo pai. A dor física torna-se então prazer sexual.

A propósito, observemos que um incidente traumático de grande violência física ocorrido na infância ou na adolescência pode determinar em um homem a posição sexual passiva (masoquismo) em relação a um parceiro masculino ou feminino que o domina e degrada.

"A fantasia de fustigação do menino é, portanto, ... uma fantasia passiva, oriunda da posição feminina a respeito do pai."[10]

O Édipo do menino e da menina

O menino renuncia à mãe porque tem medo, enquanto a menina abandona a mãe que a decepciona e se volta para o pai.

"O complexo de Édipo do menino, no qual cobiça a mãe e gostaria de eliminar o pai como rival, desenvolve-se naturalmente a partir da fase de sua sexualidade fálica. Mas a ameaça de castração obriga-o a abandonar essa posição. Sob a impressão do perigo de perder o pênis, o complexo de Édipo é abandonado, recalcado, destruído radicalmente no caso mais normal, e um supereu severo é instituído como seu herdeiro. O que acontece na menina é quase o contrário. O complexo de castração prepara o complexo de Édipo em vez de o destruir; sob a influência da inveja do pênis, a menina é expulsa da ligação com a mãe e apressa-se a entrar, como em um porto, na situação edipiana."[11]

As três fases do Édipo da menina

A nosso ver, o Édipo feminino divide-se em três fases. A fase pré-edipiana, na qual a menina em posição masculina deseja a mãe como objeto sexual; a fase que designo como "dor da privação", durante a qual a menina fica sozinha, mortificada e com inveja do menino; e, finalmente, a fase propriamente edipiana na qual a menina é arrebatada pelo desejo feminino de ser possuída pelo pai.

"A vida sexual da mulher divide-se em duas fases, sendo que a primeira tem um caráter masculino, enquanto a segunda é especificamente feminina."[12]

Entre a primeira e a segunda fase propostas por Freud, intercalo, portanto, um tempo intermediário em que a menina, só e mortificada, adota uma posição masculina de rivalidade.

O supereu é nosso pai psíquico

Nosso supereu pode ser muito severo ou muito tolerante, segundo a velocidade e a violência do recalcamento do complexo de Édipo.

"O supereu tentará reproduzir e conservar o caráter do pai, e quanto mais intenso for o complexo de Édipo mais rapidamente se dará o recalcamento e mais intenso, também, será o rigor com que o supereu reinará sobre o eu enquanto encarnação dos escrúpulos de consciência, talvez igualmente de um sentimento de culpa inconsciente."[13]

A neurose é a reativação do Édipo na idade adulta

O complexo de Édipo é a causa da neurose porque as fantasias edipianas, mal recalcadas na infância, reaparecem na idade adulta sob a forma de sintomas neuróticos. Em outras palavras, a neurose de um adulto é explicada pela intensidade com que ele viveu seu prazer sexual de criança e pela violência ou labilidade com que o recalcou.

"Eis por que a sexualidade infantil, submetida ao recalcamento, é a força-motriz principal da formação do sintoma, e que o elemento essencial de seu conteúdo, o complexo de Édipo, é o complexo nuclear da neurose."[14]

"Acreditamos que o complexo de Édipo seja o verdadeiro núcleo da neurose, que a sexualidade infantil, que nele culmina, seja sua condição efetiva e que o que subsiste desse complexo inconsciente represente a disposição do adulto em contrair posteriormente uma neurose."[15]

"Aprendi a ver que os sintomas histéricos derivam de fantasias [edipianas] e não de fatos reais."[16]

★
★ ★

LACAN

O Édipo é uma teoria da família

A teoria do Édipo é uma teoria da família e, em particular, a do declínio social da imagem paterna. É justamente esse declínio do papel do pai que estaria na origem das neuroses.

"Descobrir que ... a repressão sexual e o sexo psíquico estavam sujeitos à regulação e aos acidentes de um drama psíquico da família era fornecer a mais preciosa contribuição para a antropologia do grupo familiar. ... Por isso mesmo, Freud veio rapidamente a formular uma teoria da família. Ela se baseava numa dessimetria ... na situação dos dois sexos em relação ao Édipo."[17]

"Não estamos entre os que se afligem com um pretenso afrouxamento dos laços de família. ... Mas um grande número de efeitos psicológicos parece-nos decorrer de um declínio social da imagem paterna. ... Esse declínio constitui uma crise psicológica. Talvez seja com esse declínio que convenha relacionar o aparecimento da própria psicanálise. O sublime acaso da genialidade talvez não explique, por si só, que tenha sido em Viena ... que um filho do patriarcado judaico imaginou o complexo de Édipo. Como quer que seja, foram as formas de neuroses predominantes do século passado que revelaram que elas eram intimamente dependentes das condições da família."[18]

A fase fálica

Na fase fálica, a criança deseja sexualmente um de seus pais sem consumar, naturalmente, nenhum ato sexual. Em vez de uma genitalidade inexistente, desenvolve-se na criança a fantasia de possuir um Falo todo-poderoso.

"Logo antes do período de latência, o sujeito infantil, masculino ou feminino, chega à fase fálica, que indica o ponto de realização do genital. Tudo está ali, até e inclusive a escolha do objeto. Existe, no entanto, alguma coisa que não está ali, a saber, a plena realização da função genital. ... Resta, com efeito, um elemento fantasístico, essencialmente imaginário, que é a prevalência do Falo, mediante o que há para o sujeito dois tipos de seres no mundo: os seres que têm o Falo e os que não o têm, isto é, que são castrados."[19]

A onipotência da mãe

Lacan opõe-se à idéia de que a criança seja habitada por um sentimento de onipotência. Apenas a mãe pode dispor da oni-

potência, uma vez que a criança a supõe nela. *Só há onipotência do Outro, e a primeira castração vivida pela criança é a constatação angustiante de que sua mãe é tão vulnerável quanto ela.*

"É errado ... que a criança tenha a noção de sua onipotência. Não apenas nada indica, em seu desenvolvimento, que ela a tenha, mas ... sua pretensa onipotência e os fracassos que esta encontraria não valem nada nessa questão. O que conta ... são as carências, as decepções, que afetam a onipotência materna."[20]

O pai é uma metáfora

Para Lacan, o pai é o personagem principal do drama edipiano, seja no Édipo masculino, seja no feminino.

"Não existe a questão do Édipo quando não existe o pai, e, inversamente, falar do Édipo é introduzir como essencial a função do pai."[21]

No complexo de Édipo, o status do pai é o de uma metáfora: ele é o significante que vem no lugar de outro significante. O significante "pai" vem no lugar do significante "desejo da mãe". O pai significa o desejo da mãe. Em outras palavras, para a criança seu pai é também um homem, o homem que a mãe deseja.

"Que é o pai? Não digo na família. ... A questão toda é saber o que ele é no complexo de Édipo. ... É isto: o pai é uma metáfora. ... O pai é um significante que substitui um outro significante. Nisso está o pilar, o pilar essencial, o pilar único da intervenção do pai no complexo de Édipo. A função do pai no complexo de Édipo é ser um significante que substitui o primeiro significante introduzido na simbolização, o significante materno. Segundo a fórmula ... da metáfora, o pai vem no lugar da mãe."[22]

Tríade imaginária, *quator* simbólico

Para Lacan, o triângulo mãe-filho-Falo é uma tríade imaginária pré-edipiana. O Édipo só aparece com a introdução do quarto elemento, o pai. A tríade imaginária torna-se então **quator** *simbólico. A passagem de uma a outra é feita através de uma decepção: a criança fica decepcionada ao saber que não é o Falo de sua mãe. Descobre que o objeto do desejo da mãe está no pai, não nela. Assim, é para o pai, detentor do Falo, que a criança se volta.*

"... a dialética dos três objetos primeiros [mãe-criança-Falo] e do quarto termo que os abrange a todos, ligando-os na relação simbólica, a saber, o pai. Esse termo introduz a relação simbólica ...."[23]

"... a tríade imaginária, como prelúdio à posta em jogo da relação simbólica, que se faz com a quarta função, a do pai, introduzida pela dimensão do Édipo. O triângulo é em si mesmo pré-edipiano ... o *quator* constitui-se com a entrada em jogo da função paterna, a partir da ... decepção fundamental da criança ... ela reconhece ... não apenas que não é o objeto único da mãe, mas que o interesse da mãe ... é o Falo. A partir desse reconhecimento, resta perceber, em segundo lugar, que a mãe é justamente privada, que falta a ela mesma este objeto."[24]

Lacan e a simbólica do dom

Lacan põe a ênfase na simbólica do dom, seja o dom no sentido de demandar o objeto ao outro, seja o dom no sentido de dar o objeto ao outro. A menina entra no Édipo quando demanda o Falo ao seu pai, o menino sai do Édipo quando – para salvar seu pênis – aceita largar o objeto a que se apega tanto, isto é, sua mãe; ele renuncia à mãe como objeto de desejo.

"É na medida em que não possui o Falo que a criança feminina se introduz na simbólica do dom. É na medida em que ... se trata de ter ou não o Falo que ela entra no complexo de Édipo. O menino ... não é por aí que ele entra, é por aí que ele sai. No fim do complexo de Édipo ... é preciso que ele faça dom daquilo que tem."[25]

Castração e privação

A castração é uma idéia, a privação é um fato. Ao olhar o corpo nu da menina, o menino pensa: "Ela foi castrada"; a menina, examinando-se, constata: "Fui privada dele." Para o menino, a castração é uma idéia angustiante, a idéia de que o essencial pode lhe faltar; ao passo que, para a menina, a privação é uma constatação dolorosa, a constatação de que lhe falta o essencial que ela julgava ter.

"A privação é ... em especial o fato de que a mulher não tem pênis, que é privada dele. Esse fato, a assunção desse fato, tem uma incidência constante na evolução de quase todos os casos que Freud nos expõe. ... A castração ... toma por base a apreensão no real da ausência de pênis na mulher. ... [As criaturas femininas] são castradas na subjetividade do sujeito. No real, na realidade, naquilo que é invocado como experiência real, são privadas. ...
A própria noção de privação ... implica a simbolização do objeto no real. ... Indicar que alguma coisa não está ali é supor sua presença possível, isto é, introduzir no real ... a simples ordem simbólica. ...
Quanto à castração, na medida em que ela é eficaz, experimentada, presente na gênese de uma neurose, incide ... sobre um objeto imaginário. Nenhuma castração ... é jamais uma castração real."[26]

O supereu, fruto do Édipo

O supereu, herdeiro do complexo de Édipo, é uma figura da lei introjetada no inconsciente infantil e que dita, como um mestre interior, as escolhas decisivas e cotidianas da existência.

"O fim do complexo de Édipo é correlativo da instauração da lei como recalcada no inconsciente, mas permanente. ... A lei ... é baseada no real, sob forma desse núcleo deixado atrás de si pelo complexo de Édipo, ... [núcleo] que sabemos se encarnar em cada sujeito sob as formas mais diversas, mais extravagantes, mais caricatas – que se chama o supereu."[27]

O Édipo, uma figura do Ideal do eu

Para Lacan, o Édipo é uma via normativa, uma das figuras possíveis do Ideal do eu. O Ideal do eu é o tipo viril ou o tipo feminino que o menino e a menina estão destinados a assumir.

"... há no Édipo a assunção do próprio sexo pelo sujeito, isto é, para darmos os nomes às coisas, aquilo que faz com que o homem assuma o tipo viril e com que a mulher assuma um certo tipo feminino .... A virilidade e a feminização são os dois termos que traduzem o que é, essencialmente, a função do Édipo. Encontramo-nos, aí, no nível em que o Édipo está diretamente ligado à função do Ideal do eu."[28]

"Logo, não basta que o sujeito depois do Édipo desemboque na heterossexualidade, é preciso que o sujeito, menino ou menina, desemboque nela de uma maneira tal que se situe corretamente em relação à função do pai. Eis o centro de toda a problemática do Édipo."[29]

A castração é transmitida de pai para filho

Que é ser castrado senão constatar dolorosamente que nosso corpo e nossos desejos são limitados? O pai que tive, o pai que sou e o filho que me sucede, todos devem assumir as castrações impostas.

"... a castração que atinge o filho, não será também o que o faz ter acesso pela via justa ao que corresponde à função do pai? ... E não é isto mostrar que é de pai para filho que a castração se transmite?"[30]

Dolto e o interdito do incesto

Dolto pede aos pais que assumam a castração de não considerar seus filhos como prolongamento de si próprios.

"Os pais gostariam de manter o domínio sobre seu filho e de inscrever os frutos da experiência deles em seu pensamento. Isso é trapacear com o interdito do incesto. Ele deve livrar-se de tudo que lhe foi inculcado pelos pais: '*Abandona pai e mãe*', o que não quer dizer que ele não descobrirá sua herança de outra forma, ele próprio engendrando a partir do que ouviu, não de seus pais mas de sua experiência, de outras pessoas na vida, sob a condição de que isso não seja obrigatório, não esteja na corrente de uma aliança amorosa."[31] *Dolto*

★
★ ★

Referências dos excertos citados*

Freud

1. *Abrégé de psychanalyse*, Paris, PUF, 14ª ed., 1997, p.58 [ed. bras.: "Esboço de psicanálise", in *ESB*, vol.23].
2. "À partir de l'histoire d'une névrose infantile", in *Œuvres complètes de Freud*, vol.XIII, Paris, PUF, 3ª ed., 2005, p.84 [ed. bras.: "Da história de uma neurose infantil", in *ESB*, vol.17].
3. *Cinq psychanalyses*, Paris, PUF, 23ª ed., 1999, p.418 [ed. bras.: "Da história de uma neurose infantil", in *ESB*, vol.17].
4. "Quelques types de caractères", in *L'Inquiétante étrangeté et autres essais*, Paris, Gallimard, 1985, p.166 [ed. bras.: "Alguns tipos característicos encontrados na psicanálise", in *ESB*, vol.14].
5. *Ma vie et la psychanalyse*, Paris, Gallimard, 1949, p.65 [ed. bras.: "Pós-escrito a 'Um estudo autobiográfico'", in *ESB*, vol.20].
6. "Psychanalyse" e "Théorie de la libido", in *Résultats, idées, problèmes*, Paris, PUF, 6ªed., 1988, p.62 [ed. bras.: "Dois verbetes de enciclopédia", in *ESB*, vol.18].
7. *Freud présenté par lui-même*, Paris, Gallimard, 1984, p.57 [ed. bras.: "Um estudo autobiográfico", in *ESB*, vol.20].
8. Ibid. p.58.
9. "Un enfant est battu", in *Névrose, psychose et perversion*, Paris, PUF, 12ª ed., 1997, p.227 [ed. bras.: "Uma criança é espancada", in *ESB*, vol.17].
10. Ibid., p.238.
11. "La féminité", in *Nouvelles conférences d'introduction à la psychanalyse*, Paris, Gallimard, 1984, p.173 [ed. bras.: "Feminilidade", in *Novas conferências introdutórias à psicanálise* (conf.33), *ESB*, vol.22].

---

* Os excertos de Freud foram traduzidos a partir das versões francesas, e seguidos da indicação dos volumes em que se encontram na *Edição Standard Brasileira das obras psicológicas completas de Sigmund Freud* (Rio de Janeiro, Imago). As citações de Lacan reproduzem as traduções publicadas em *O Seminário de Jacques Lacan* (Rio de Janeiro, Jorge Zahar Editor, vários volumes). (N.E.B.)

12. "Sur la sexualité feminine", in *La vie sexuelle*, Paris, PUF, 13ª ed., 1997, p.142 [ed. bras.: "A sexualidade feminina", in *ESB*, vol.21].
13. *Essais de psychanalyse*, Paris, Payot, 1981, p.203-4 [ed. bras.: "O eu e o isso", in *ESB*, vol.19].
14. "Un enfant est battu", in *Névrose, psychose et perversion*, op.cit., p.243.
15. Ibid., p.233.
16. "La féminité", in *Nouvelles conferences d'introduction à la psychanalyse*, op.cit., p.161.

Lacan

17. "Os complexos familiares na formação do indivíduo", in *Outros escritos*, Rio de Janeiro, Jorge Zahar, 2003, p.53-4.
18. Ibid., p.66-7.
19. *O Seminário*, livro 4, *A relação de objeto* (1956-57), texto estabelecido por Jacques-Alain Miller, Rio de Janeiro, Jorge Zahar, 1995, p.124.
20. Ibid., p.70.
21. *O Seminário*, livro 5, *As formações do inconsciente* (1957-58), texto estabelecido por Jacques-Alain Miller, Rio de Janeiro, Jorge Zahar, p.171.
22. Ibid., p.180.
23. *O Seminário*, livro 4, *A relação de objeto*, op.cit., p.83-4.
24. Ibid., p.81.
25. Ibid. p.125.
26. Ibid., p.223-4.
27. Ibid. p.216.
28. *O Seminário*, livro 5, *As formações do inconsciente*, op.cit., p.171.
29. *O Seminário*, livro 4, *A relação de objeto*, op.cit.
30. *O Seminário*, livro 17, *O avesso da psicanálise* (1969-70), texto estabelecido por Jacques-Alain Miller, Rio de Janeiro, Jorge Zahar, 1992, p.114
31. Françoise Dolto, revista *Approches*, 40, 1980.

Seleta bibliográfica sobre o Édipo

Freud

La naissance de la psychanalyse, PUF, 1979, p.198 ["Projeto para uma psicologia científica", in *ESB*, vol.1].

"L'Hérédité et l'étiologie des névroses", in *Névrose, psychose et perversion*, PUF, 12ª ed., 1997, p.55-9 ["A hereditariedade e a etiologia das neuroses", in *ESB*, vol.3].

"Nouvelles remarques sur les psychoses de défense", in *Névrose, psychose et perversion*, PUF, 12ª ed., 1997, p.66-7 ["Novos comentários sobre as psiconeuroses de defesa", in *ESB*, vol.3].

"L'Étiologie de l'histérie", in *Névrose, psychose et perversion*, PUF, 12ª ed., 1997, p.103-5 ["A etiologia da histeria", in *ESB*, vol.3].

"Analyse d'une phobie chez un petit garçon de cinq ans (Le petit Hans)", in *Cinq psichanalyses*, PUF, 23ª ed., 1999, p.172, 194-9 ["Análise de uma fobia em um menino de cinco anos", in *ESB*, vol.10].

"Remarques sur un cas de névrose obsessionnelle (L'Homme aux rats)", in *Cinq psichanalyses*, PUF, 23ª ed., 1999, p.234-5 ["Notas sobre um caso de neurose obsessiva", in *ESB*, vol.10].

"Les explications sexuelles données aux enfants", in *La vie sexuelle*, PUF, 13ª ed., 1996, p.9-12 ["O esclarecimento sexual das crianças", in *ESB*, vol.9].

"Les theories sexuelles infantiles", in *La vie sexuelle*, PUF, 13ª ed., 1996, p.14-27 ["Sobre as teorias sexuais das crianças", in *ESB*, vol.9].

Cinq leçons sur la psychanalyse, Payot, col. Petite Bibliothèque Payot, 1966, p.54-7 ["Cinco lições de psicanálise", in *ESB*, vol.11].

"Un type particulier de choix d'objet chez l'homme", in *La vie sexuelle*, PUF, 13ª ed., 1996, p.51-5 ["Um tipo especial de escolha de objeto feita pelos homens", in *ESB*, vol.11].

"Sur le plus général des rabaissements de la vie amourese", in *La vie sexuelle*, PUF, 13ª ed., 1996, p.57, 64 ["Sobre a tendência universal à depreciação na esfera do amor", in *ESB*, vol.11].

Totem et tabou, Payot, col. Petite Bibliothèque Payot, 1965, p.192-9, 214-17, 234 [*Totem e tabu*, ESB, vol.13].

"Extrait de l'histoire d'une névrose infantile (L'Homme aux loups)", in *Cinq psychanalyses*, PUF, 23ª ed., 1999, p.390-1, 418 ["Da história de uma neurose infantil", in *ESB*, vol. 17].

"Le tabou de la virginité", in *La vie sexuelle*, PUF, 13ª ed., 1996, p.75-8 ["O tabu da virgindade", ESB, vol.11].

"Un enfant est battu", in *Névrose, psychose et perversion*, PUF, 12ª ed., 1997, p.228-9, 242-3 ["Uma criança é espancada", in *ESB*, vol.17].

"Psychologie de masse et analyse du moi", in *Essais de psychanalyse*, Payot, col. Petite Bibliothèque Payot, 1981, p.167-4 [*Psicologia das massas e análise do eu*, ESB, vol.18].

"Le moi et le ça", in *Essais de psychanalyse*, Payot, col. Petite Bibliothèque Payot, 1981, p.240-52, 262-75 ["O eu e o isso", in *ESB*, vol.19].

"L'Organisation génitale infantile", in *La vie sexuelle*, PUF, 13ª ed., 1996, p.75-8 ["A organização genital infantil da libido", in *ESB*, vol.19].

"La disparition du complexe d'Œdipe", in *La vie sexuelle*, PUF, 13ª ed., 1996, p.117-22 ["A dissolução do complexo de Édipo", in *ESB*, vol.19].

"Le problème économique du masochisme", in *Névrose, psychose et perversion*, PUF, 12ª ed., 1997, p.292-7 ["O problema econômico do masoquismo", in *ESB*, vol.19].

"Quelques conséquences psychologiques de la différence anatomique entre les sexes", in *La vie sexuelle*, PUF, 13ª ed., 1996, p.123-32 ["Algumas diferenças psíquicas das diferenças anatômicas entre os sexos", in *ESB*, vol.19].

"Auto-présentation", in *Sigmund Freud présenté par lui-même*, Gallimard, 1984, p.57-8 ["Um estudo autobiográfico", in *ESB*, vol.20].

Inhibition, symptôme et angoisse, PUF, 1971, p.19-29 ["Inibição, sintoma, angústia", in *ESB*, vol.20].

"Dostoievski et le parricide", in *Résultats, idées, problèmes II*, PUF, 6ª ed., 1998, p.173-5 ["Dostoievski e o parricídio", in *ESB*, vol.21].

Le président Wilson, Payot, 1990, p.77, 79-80, 88-9, 116 [*Thomas Woodrow Wilson, um estudo psicológico*, Rio de Janeiro, Graal, 1984].

Malaise dans la civilisation, PUF, 1989, p.91 [*Mal-estar na civilização*, *ESB*, vol.21].

"Sur la sexualité féminine", in *La vie sexuelle*, PUF, 13ª ed., 1996, p.139-53 ["A sexualidade feminina", in *ESB*, vol.21].

Lacan

"Os complexos familiares na formação do indivíduo", in *Outros escritos*, Rio de Janeiro, Jorge Zahar, 2003, p.29-90.

O Seminário, livro 3, *As psicoses*, Rio de Janeiro, Jorge Zahar, 1983, p.195-7.

O Seminário, livro 4, *A relação de objeto* (1956-57), texto estabelecido por Jacques-Alain Miller, Rio de Janeiro, Jorge Zahar, 1995.

O Seminário, livro 5, *As formações do inconsciente* (1957-58), texto estabelecido por Jacques-Alain Miller, Rio de Janeiro, Jorge Zahar, p.166-220.

"Le mythe individuel du névrosé", in *Ornicar?*, 1979, n.17-8, p.289-307.

O Seminário, livro 7, *A ética da psicanálise*, Rio de Janeiro, Jorge Zahar, p.336-46, 365-72.

O Seminário, livro 17, *O avesso da psicanálise*, Rio de Janeiro, Jorge Zahar, p.102-23.

Escritos, Rio de Janeiro, Jorge Zahar, 1998, p.179-89, 250-1, 278-9, 363-4, 462-3, 560-2, 608, 685-703, 837-40.

★

★ ★

Abraham, K., *Œuvres completes*, tomos I e II, Paris, Payot, 1965.

Deleuze, G. e F. Guattari, *L'Anti-Œdipe*, Paris, Minuti, 1971. [*O anti-Édipo*, Rio de Janeiro, Imago, 1976, esgotado].

Dolto, F., *L'Évangile au risque de la psychanalyse*, tomo II, Paris, Seuil, 1977, p.71-6.

_____, *L'Image inconsciente du corps*, Paris, Seuil, 1984, p.186-99 [*A imagem inconsciente do corpo*, São Paulo, Perspectiva, 2001].

_____, *Au jeu du désir*, Paris, Seuil, 1981, 194-244 [*No jogo do desejo*, São Paulo, Ática, 1996].

Graves, R., *Os mitos gregos*, São Paulo, Madras, 2004.

Heimann, P., "A contribution to the re-evaluation of Œdipus complex. The early stages", *Int. J. Psychoanal.*, 1921.

Jones, E., *Théorie et pratique de la psychanalyse*, Paris, Payot, col. Désir/Payot, 1997 [coletânea em francês de artigos publicados entre 1910 e 1947].

Klein, M., "Early stages of the Œdipus conflict", *Int. J. Psychoanal.*, 9, p.167-80, e "The Œdipus complex in the light of early anxieties", *Int. J. Psychoanal.*, 26, p.11-33.

Lampl de Groot, J., "Re-evaluation of the role of the Œdipus complex", *Int. J. Psychoanal.*, 1952; "The preœdipal phase in the development of the lame child", *Int. J. Psychoanal.*, 1946; "The evolution of Œdipus complex in women", *Int. J. Psychoan.*, 1928.

Laplanche, J. e J.-B. Pontalis, *Vocabulário de psicanálise*, São Paulo, Martins Fontes, 2001, verbete "Édipo, complexo de".

Mijolla, A. de e S. de Mijolla Mellor (sob a direção de), *Psychanalyse*, Paris, PUF, 1996, p.72, 294, 506, 521-2.

Mullahy, R., *Œdipe, du mythe au complexe*, Paris, Payot, 1951.

Nasio, J.-D., "O conceito de castração", "O conceito de Falo" e "O conceito de supereu", in *Lições sobre os 7 conceitos cruciais da psicanálise*, Rio de Janeiro, Jorge Zahar, 2001, p.13-30, 37-41, 129-45.

Odier, C., "Une névrose sans complexe d'Œdipe?", *Revue Française de Psychanalyse*, 1933.

Ortigues, M.C. e E. Ortigues, *O Édipo africano*, São Paulo, Escuta, 1989.

Rosolato, G., "Du père", in *Études sur le symbolique*, Paris, Gallimard, 1970.

Roudinesco, E. e M. Plon, *Dicionário de psicanálise*, Rio de Janeiro, Jorge Zahar, verbete "Édipo, complexo de".

Rufo, M., *Œdipe toi-même! Consultation d'um pédo-psychiatre*, Anne Carrière, 2000.

Sófocles, *Édipo rei*, in *A trilogia tebana*, Rio de Janeiro, Jorge Zahar, 11ª ed., 2004.

This, B., *Pai, o ato de nascimento*, Porto Alegre, Artmed, 1987.

Índice geral

Abertura 7

1. O Édipo do menino 19
No começo era o corpo de sensações erógenas ... 21
Os três desejos incestuosos 24
As três fantasias de prazer 27
As três fantasias de angústia de castração 32
Resolução do Édipo do menino:
a dessexualização dos pais 36
Comparado à mulher, o homem é
visceralmente um covarde 37
Os frutos do Édipo: o supereu e a identidade sexual ... 40
Resumo da lógica do Édipo do menino 42

2. O Édipo da menina 45
Tempo pré-edipiano: a menina é como um menino . 47
Tempo da solidão: a menina sente-se
sozinha e humilhada 50
A inveja ciumenta de deter o Falo 53
Tempo do Édipo: a filha deseja o pai 54
Resolução do Édipo: a mulher deseja um homem .. 56
A mais feminina das mulheres tem sempre
o pai dentro de si 59
Resumo da lógica do Édipo da menina 62

3. Perguntas e respostas sobre o Édipo 65

**4. O Édipo é a causa das neuroses ordinárias
e mórbidas do homem e da mulher** 91
A neurose ordinária e a neurose mórbida 93
A reativação do Édipo sob a forma da
neurose feminina 98

Como escutar uma anoréxica através
da teoria do Édipo? 101

5. Arquipélago do Édipo 107
Não existe castração 109
As figuras do pai no Édipo masculino 110
As figuras da mãe no Édipo feminino 111
As figuras do Falo no Édipo feminino 111
O supereu e os três papéis do pai no
Édipo masculino 112
A brincadeira de boneca 113
A fantasia da onipotência fálica 113
A fobia é uma projeção; a histeria, uma rebelião;
e a obsessão, um deslocamento 114
A significação bissexual de um sintoma neurótico .. 117
Que é a histeria? 117
A histeria sofrida por um adulto foi provocada
por uma relação excessivamente sensual entre
a criança que ele era e seus pais 118
A mulher histérica e seu medo de amar 121
As três figuras lacanianas do pai no Édipo:
simbólico, real e imaginário 121
Os três tipos de falta no Édipo: castração, privação
e frustração. Uma leitura da tríade lacaniana 124
Quadro comparativo entre as posições masculina
e feminina 126

6. Excertos das obras de Freud e Lacan sobre
o Édipo, precedidos de nossos comentários .. 129
Seleta bibliográfica sobre o Édipo 147

Índice geral 155

1ª EDIÇÃO [2007] 14 reimpressões

ESTA OBRA FOI COMPOSTA POR VICTORIA RABELLO EM BEMBO E ITC OFFICINA SANS
E IMPRESSA EM OFSETE PELA GRÁFICA PAYM SOBRE PAPEL ALTA ALVURA
DA SUZANO S.A. PARA A EDITORA SCHWARCZ EM MARÇO DE 2024

FSC
www.fsc.org
MISTO
Papel produzido
a partir de
fontes responsáveis
FSC® C133282

A marca FSC® é a garantia de que a madeira utilizada na fabricação do papel deste livro provém de florestas que foram gerenciadas de maneira ambientalmente correta, socialmente justa e economicamente viável, além de outras fontes de origem controlada.